CONTES ET LÉGENDES
DES ILES DE LA MADELEINE

Les Éditions Intrinsèque Inc.
1651, rue Saint-Denis,
Montréal, H2X 3K4

Directeur: Guy Saint-Jean
Composition: Studio 5 Enrg.
Mise en page: Atelier Baloune
Couverture: Claude

DISTRIBUTION
Québec: Messageries Prologue Inc.
        1651, rue St-Denis
        Montréal
        Tél.: 849-8129
France: Montparnasse-Édition
        1, Quai de Conti
        Paris 75006
        Tél.: 033 40 96

Dépôt légal - 2ième trimestre 1979
Bibliothèque Nationale du Québec
ISBN: 0-919711-10-3

Azade Harvey

Contes & Légendes
des Îles-de-la-Madeleine

Editions Intrinsèque

PRÉFACE

C'est un bien grand honneur que m'a fait mon cher ami Azade Harvey — Azade tout court, comme l'appellent ses familiers — en demandant au «Canadien» que je suis d'écrire une préface à son fascinant recueil de contes et légendes qui chantent le passé des Iles, de «nos»Iles. Je me sers du possessif, car celui qui a vécu un tant soit peu aux Iles-de-la-Madeleine (et je suis de ceux-là) conserve un sentiment impérissable d'appartenance, une tendresse qui le fait, à tout jamais, membre d'une famille qui sait reconnaître ses enfants, partout dans le monde. Et Dieu sait comme ils ont bourlingué, «gaboté», voyagé, ces Madelinots infatigables, intrépides héros de la mer, souvent fouettés par les vents glacés de l'exil. S'ils ont enfin pris racine dans leur minuscule archipel, ce n'est pas sans avoir longuement souffert des déplacements successifs dont leur histoire est remplie. Depuis l'ancestrale Acadie, en passant par les îles françaises de Saint-Pierre et Miquelon, en attendant, dans bien des cas, de reprendre l'amer chemin de l'émigration vers le «Canada», les Madelinots ont chère Patrie insulaire à l'image des hommes et des femmes qu'ils étaient, et qu'ils sont toujours: c'est-à-dire dans l'honnêteté, l'accueil, la fierté, le dévouement. Je dirais, paraphrasant Hémon, qu'ils ont fabriqué, aux Iles «le plus humain de tous les coeurs humains». Tout au long de ce passé de misère et de résistance, de douleurs sublimées et d'isolement indescriptible, ces travailleurs de la Mer ont présenté à leurs enfants et à leurs voisins un front serein, une santé morale faite d'ironie et d'une indestructible détermination à vivre. Douces et rudes à la fois (sirène ensorceleuse et nid à naufrages, comme femme soumise mais terrible furie), les Iles n'ont jamais été complètement

6

conquises. Et cela, mes frères madelinots le savent mieux que tous les étrangers qui sont venus, soit pour exploiter les autochtones, soit pour se prélasser distraitement sur le sable immaculé de ces plages infinies. Avec Azade, j'apprends, tout comme l'enfant qu'il a été, à porter mon regard vers l'horizon mystérieux qui se noie, au nord-est de la Pointe-aux-Loups, dans les brumes de l'inquiétante Ile Brion. C'est en pénétrant dans les repaires des fées, des loups-garous, des lutins et des feux-folets, c'est en interrogeant les marionnettes, que notre auteur — arrière-petit-fils de pêcheurs sacrifiés aux inexorables fiançailles de la Mer — parvient à exorciser les fantômes de ceux qui ont disparu dans les entrailles liquides du Golfe. C'est en écoutant avec son coeur de barde populaire la mélopée lancinante des sirènes aux refuges insondables, que le conteur a su déchiffrer le mystère des lointaines origines et apporter la paix à l'âme des Noyés.

Ami lecteur, je t'invite avec empressement à pénétrer, sous la conduite de notre Guide et Pilote, Azade (toujours et à jamais Madelinot, même après vingt-cinq ans d'exil), dans l'univers merveilleux des anciens. Eux qui n'avaient que leurs bras pour survivre, mais tout leur coeur pour aimer, savaient aussi penser. C'est cette pensée, sous une forme allégorique, par la magie des fortes images et de l'anecdote, que l'ami Azade a su puissamment (malgré ses craintes et en dépit des obstacles) tirer de l'oubli pour en faire une instructive et touchante anthologie. Et, comme le veut le dicton des Iles, «les vieux disaient bien la vérité!»

Gilles Lefebvre, M.A., Ph.D.,
professeur agrégé
à l'Université de Montréal

7

La légende du moine qui prie

n était en l'an 850 après Jésus-Christ. Un groupe de moines, qui vivaient en Irlande, poussés par la peur d'être persécutés par les hardis Vikings, décidèrent un jour de traverser la grande mer mystérieuse dans l'espoir d'y trouver une terre inconnue et inhabitée où vivre en sécurité. On n'ignorait pas que les Vikings à ce moment-là déferlaient sur les côtes des Iles Britanniques, dévastant tout sur leur passage. Pendant plus de deux ans, on se prépara pour la traversée. Il fallut tout d'abord bâtir un bateau suffisamment jaugeable et assez solide pour résister à la grande mer, ce qui n'était pas une mince tâche car il fallait charroyer à dos d'âne, sur une distance d'environ vingt-cinq milles du monastère, le bois nécessaire à la construction du bateau. Mais pour ces moines patients — comme tous les moines d'ailleurs — rien n'était impossible. Ils étaient peu nombreux — seulement quinze — vivant ensemble dans un vieux château désaffecté, situé au bord d'une falaise escarpée. Ils se mirent donc à construire laborieusement ce bateau qui, pour eux, représentait l'aventure et la liberté possible. Une fois terminé, on fit au monastère une fête pour le lancement. Ensuite, on chargea le bateau de provisions de toutes sortes, de quelques animaux de la ferme et on prit soin d'apporter du grain de blé et d'avoine pour semer à l'endroit où on accosterait.

Le grand jour arriva: celui du départ. On fit ses adieux à cette Irlande chère et l'on appareilla à la garde de Dieu, ignorant tout du point d'arrivée. On monta la voile carrée et, dans une espèce d'euphorie teintée d'inquiétude, on se laissa aller au gré du vent et des courants. Le mois de mars achevait et déjà, en Irlande, l'herbe était verte et les bourgeons se multipliaient chaque jour. Ce matin du grand départ, le soleil était de la partie: la traversée s'annonçait donc bonne. Mais, se disait-on, combien de temps serons-nous sur la mer avant de toucher terre? Même si cette question restait sans réponse, au plus profond d'eux-mêmes, ces moines pieux faisaient confiance à Dieu, leur protecteur. Et, par ailleurs, leur sens pratique leur faisait douter des théories du temps qui voulaient que la terre soit carrée et qu'à ses extrémités on arrive dans le vide.

La traversée fut longue et dure dans ce bateau de fortune à découvert, sans abri ni confort. Enfin, huit semaines plus tard, à la faveur des vents et des courants, ils aperçurent une terre au loin. On ne s'était pas trompé: il y avait une autre terre au-delà de la mer! Et cette terre, c'était la pointe nord du Cap-Breton. En contournant la côte, ils aperçurent des gens qui y vivaient — des Indiens sans doute. Mais, craignant que ce ne soit encore des Vikings établis là, ils prirent peur et poursuivirent leur chemin, sans s'arrêter. Ils entrèrent finalement dans une autre mer — le Golfe Saint-Laurent — et deux jours plus tard, à l'aube, une autre terre ou plutôt une île surgit. Ils en firent le tour puis réalisèrent qu'elle n'était pas habitée. Elle était belle cette île, avec ses hautes falaises, sa végétation florissante et ses beaux arbres en quantité. Ils y accostèrent difficilement à cause de la présence de morses et de loups-marins aux alentours et de la rareté des endroits

10

accostables. Aussitôt le pied à terre, ils devinrent vite amoureux de cette île: c'était l'île Brion.

Une fois le matériel déchargé, quelques-uns d'entre eux partirent à la recherche d'une source d'eau potable. Ils ne tardèrent pas à en trouver une à ras le sol, au pied d'une butte, claire et limpide et qui coulait abondamment à travers les racines de saules et de bouleaux. Le lendemain, après avoir passé une bonne nuit, ils commencèrent sans tarder la construction d'une cabane en bois rond. Puis, le temps venu, ils semèrent l'avoine et le blé qu'ils avaient emportés avec eux dans une prairie dégagée de tout arbre (C'est probablement ces mêmes champs récoltés que Jacques Cartier vit lors de son premier voyage au Canada sept cents ans plus tard et dont il fit mention dans ses écrits par la suite) pour obtenir l'automne suivant une récolte abondante. Au cours de leur long séjour sur l'île Biron, ces moines ne cessèrent de faire fructifier la terre.

De leur cabane, ces moines avaient toujours devant les yeux, du côté sud, une terre lointaine qu'ils croyaient être la terre ferme. Ils n'osaient s'y aventurer toujours par crainte des Vikings farouches. Huit longues années s'écoulèrent dans la prière, la méditation et le travail ardu. Puis un bon jour, poussés par la curiosité, quelques-uns des moines s'embarquèrent dans un petit bateau construit de leurs mains et appareillèrent pour l'exploration de cette terre inconnue qui n'était autre que la Grosse-Ile. C'était par un matin ensoleillé de juillet et le calme de la mer invitait au départ. Rendus à l'endroit que l'on appelle Cap de l'Est, ils montèrent jusqu'au sommet. Là, ils avaient une vue d'ensemble d'une partie des Iles, laquelle ne semblait pas être habitée. Quand ils revinrent à l'île Brion, ils racontèrent ce qu'ils avaient vu, ce qui invita les autres à l'aventure et à l'évasion. Quelques jours plus tard, leur rêve se réalisait: le Prieur envoya une expédition composée de cinq moines pour explorer toutes les îles et choisir en même temps un endroit convenable pour y loger toute la communauté. Le groupe partit et, pendant plus de vingt-cinq jours, explora les îles environnantes dans tous les sens pour finalement se fixer au pied de la Butte Ronde à l'endroit qui aujourd'hui se nomme Havre-aux Maisons ou plus précisément Pointe-Basse.

Au cours des mois qui suivirent, ils construisirent un vaste monastère en bois. Sur la plage, au pied de ce monastère, une pointe de rocher s'avançait dans la mer. C'est là que tous les matins, avant le lever du soleil, le bon moine Jean venait marcher. Il se hasardait toujours davantage au bout de cette pointe et là, à l'aube, il priait et méditait pendant de longues heures. Et un beau matin, par un temps de gros orage, le moine en prière fut foudroyé. Immobile et pétrifié, il demeura à cet endroit pendant près de mille ans.

Plus tard, pendant une tempête des années '60, une vague géante vint se briser sur le moine devenu statue et le renversa. Enfin délivré de sa prière millénaire, le moine qui priait ne priera plus désormais. Il est allé rejoindre ses frères au paradis: il l'a bien mérité.

La Soquem et les lutins

'as vu, Amiak? Regarde tous ces étrangers qui viennent de débarquer sur les îles avec toutes sortes de gréements. J'me demande bien ce qu'ils peuvent venir faire ici. R'garde-moi donc toute cette grosse machinerie . Tiens c'est du monde qu'on a jamais vu avant. R'garde, il y en a un qui donne des ordres; on dirait que c'est leur chef.

—Si tu veux, Nitul, on va les suivre pour savoir où ils vont.»

Nitul et Amiak montent donc dans la voiture occupée par les étrangers, sans que ceux-ci s'en aperçoivent. L'auto se dirige vers Havre-Aubert. Les deux intrus écoutent les étrangers parler entre eux. «Si on n'a pas la peine de creuser trop profond pour exploiter la mine, dit l'un d'eux, ça ne coûtera pas trop cher et on va faire de l'argent en masse.» Nitul et Amiak se regardent d'un air étonné et se disent, dans un langage silencieux qui est celui des lutins: «Ils ont peut-être découvert une mine d'or ou de charbon.» On arrive à Havre-Aubert, on décharge tout l'équipement, et les étrangers commencent à creuser. Les lutins s'attendent à voir apparaître de l'or. Mais au lieu de l'or, c'est une substance blanche que l'on recueille. Alors, Amiak dit à Nitul: «C'est une mine de sucre!

—Mais non, c'est pas du sucre, c'est du sel», dit l'autre.

Des semaines, des mois et des années passèrent. La bande de lutins restait autour des ingénieurs de la Soquem, pour se tenir au courant. À vrai dire, ces lutins n'appréciaient guère de voir tous ces étrangers envahir leur territoire. Mais que pouvaient-ils contre tous ces humains? Pas grand-chose.

Un jour que les lutins assistaient, invisibles, à une conversation dans le bureau du président, ils entendirent des secrets à leur faire dresser les cheveux sur la tête. On avait inventé une patente pour harnacher le vent et produire du courant électrique à bon compte. «L'électricité? se dirent les lutins; il fera donc plus clair la nuit que le jour. On ne pourra plus venir ici. Quand ça fonctionnait avec les dynamos à l'huile, des pannes d'électricité se produisaient parfois l'hiver; elles duraient des fois deux ou trois jours. On avait alors la chance de venir voir les chevaux, pendant qu'il faisait noir. Asteure que la Soquem a inventé sa maudite patente à vent, on n'aura plus la chance de venir, parce qu'il n'y aura plus de panne d'électricité et que les gens pourraient nous voir.» Les lutins décidèrent donc de partir pour leur royaume.

Cinq ans plus tard, Nitul revint aux Iles avec sa bande. Ils trouvèrent tous qu'il faisait beaucoup trop clair la nuit et que cette clarté-là les aveuglait. Beaucoup de choses avaient changé en cinq ans. Il leur semblait, entre autres, que l'air y était plus pur et qu'ils pouvaient mieux respirer. Au fond, ce n'était pas aussi terrible qu'ils l'avaient imaginé. Ils arriveraient bien à trouver un petit coin où se cacher; le bois est assez épais dans les buttes. Et puis, les Madelinots ne se lamenteraient plus du coût trop élevé de l'électricité; ils l'avaient maintenant presque pour rien.

Nitul et les siens entrent dans une étable. Mais il fait trop clair, on ne voit presque rien. Amiak tient la porte de l'étable ouverte pour laisser entrer les autres. Une fois dans l'étable, ils s'occupent de faire manger le cheval, de le brosser et de tresser ses crins. Trop occupés à travailler, ils n'ont pas remarqué le cultivateur qui vient d'entrer pour soigner ses animaux. En allumant la lumière, il les aperçoit. «Ah! ben Godême! c'est vous autres qui venez déranger mes animaux!» Saisis, les lutins se sauvèrent dans toutes les directions en butant contre les murs, et ils disparurent dans tous les recoins. La lumière les avait aveuglés. Seul le vieux Nitul eut un peu de difficulté à trouver une ouverture et à disparaître.

Rendus sous l'étable, il réussit à rassembler la bande et leur dit: «Cachons-nous dans le bois touffu, en arrière de l'étable, en attendant qu'il parte.» Plus tard, ils revinrent à l'étable pour y finir le travail commencé. Mais le cultivateur était parti en laissant la lumière allumée, Or, cette lumière produite par les moulins à vent était beaucoup plus forte que l'ancienne. Et si le cultivateur l'avait laissée allumée, c'est parce que l'électricité ne lui coûtait plus très cher. Impossible pour les lutins de travailler à l'aveuglette; il faisait beaucoup trop clair. On remit le travail à la nuit suivante, espérant que la lumière serait alors éteinte. Ils revinrent à la nuit pour constater que la lumière brillait toujours. Le cultivateur ne voulait probablement pas que les lutins viennent déranger ses animaux. On changea donc d'étable, avec regret, et l'on en choisit une autre où il n'y avait pas d'électricité. Là, enfin, on pouvait travailler à l'aise, sans se faire aveugler par les lumières de la Soquem...

Les habitants du plâtre à Arsène

haque soir, à la brunante, Placide reconduisait ses vaches dans un rang-clos dans les buttes des Caps, à proximité de la Belle-Anse. Placide n'était pas pêcheur de son métier mais plutôt cultivateur Ce petit lopin de terre qu'il cultivait lui rapportait suffisamment pour lui permettre de vivre convenablement lui et les siens. Il n'était pas attiré par la mer. Il aurait bien pu faire comme la plupart de ses frères qui chaque année augmentaient leur gréement de pêche. Mais, à son avis, trop de gens périssaient au large, et il ne voulait pas être de ceux-là. Il disait souvent: «Moa, j'veux mourir dans mon lit et non pas à vingt-cinq brasses sous l'eau.» Taciturne de nature, parlant peu comme la plupart des gens qui vivent de la terre, il était toutefois content de son sort. Le peu d'argent que lui rapportait ses produits de la terre lui suffisait pour nourrir sa famille; il n'en désirait pas davantage.

Par un beau soir, alors qu'il revenait du rang-clos après avoir tiré ses quatre vaches, il s'arrêta à la petite source qui coulait au pied du plâtre pour se désaltérer. Il faisait bon boire cette eau fraîche et limpide après une longue marche au soleil. En relevant la tête, il crut apercevoir des ombres qui bougeaient près du plâtre blanc. Il s'immobilisa et fixa longuement dans cette direction, mais il ne vit rien de précis. Ses yeux le décevaient. Il continua sa route jusque chez lui où, sans tarder, il prépara son lait pour le séparateur. Quand ce fut fait, il sortit la barate pour renouveler sa réserve de beurre. Son travail terminé, il était déjà tard le soir.

Le lendemain, il faisait un soleil radieux. Alors qu'il s'habillait, Placide n'arrivait pas à chasser de sa tête les ombres qu'il avait cru apercevoir la veille. Il déjeuna nerveusement ce matin-là. Enfin, il retourna dans les buttes pour tirer une fois de plus ses vaches. En passant près du plâtre, il resta perplexe à la vue de petits hommes ressemblant à des enfants qui sautaient d'une roche à l'autre, disparaissant par moments pour réapparaître aussitôt. Ils semblaient trop affairés à ce genre de manège pour s'occuper de lui. N'en croyant pas ses yeux, Placide secoua la tête dans un mouvement de dénégation, pour finalement réaliser qu'il n'était pas victime d'une hallucination. Il s'immobilisa quelques minutes pour les regarder évoluer. Il examina leur apparence: hauts comme des enfants de deux ans, ces êtres étranges avaient par ailleurs un visage de personnes d'âge mûr. Une longue barbe décorant une tête nue distinguait les hommes des femmes. Leurs vêtements, qui semblaient être de laine, étaient de couleurs vives bleue et rouge.

Placide, qui jusqu'ici était demeuré dans la même position, s'approcha lentement d'eux évitant tout geste inutile par crainte de les apeurer. Malgré ses précautions, son pied butta contre une pierre qui alla finalement rouler en bas de la butte dans un petit bruit sec qui fit se redresser les créatures bizarres et regarder dans sa direction. Placide fit encore quelques pas vers eux et soudain il les vit disparaître. Il fouilla en vain dans tous les coins. Soudain, il découvrit au pied d'un monticule un trou large d'environ deux pieds. Il saisit une pierre à ses pieds et la lança dans ce trou, calculant à sa montre le temps écoulé avant qu'un bruit ne retentisse, indiquant que la pierre venait de toucher le fond. La pierre lancée sembla rouler à l'horizontale sur quelques dizaines de pieds, puis aucun bruit. Il fallut une bonne cinquantaine de secondes avant que la roche ne touche le fond du trou. Elle résonna en écho laissant croire que l'intérieur était une énorme caverne.

Poussé par la curiosité, Placide se faufila dans le trou, jusqu'à une distance d'au moins vingt pieds. Les parois du tunnel, rendues brillantes par l'usure des ans, semblaient être de marbre. De l'autre bout du passage sourdait une lueur blafarde accompagnée de sons étranges ressemblant à des violons. Malgré l'air frais de la caverne, la sueur dégoulinait du visage de Placide. Ses vêtements mouillés l'irritaient et ce n'est pas sans difficulté qu'il se traîna sur ses coudes usés. Enfin, il atteignit le bout du passage.

Ce qu'il vit alors le fit frissonner. Il frémit de tous ses membres. Il crut d'abord rêver, puis se pinça le visage pour s'assurer qu'il était bien réveillé. Une énorme pièce apparaissait devant lui, grande comme une cathédrale d'au moins cent pieds de largeur sur sept cents pieds de profondeur, éclairée par une lumière jaillissant d'on ne sait où. Au fond, des petits hommes — des lutins sans doute — se déplaçaient avec l'agilité des fourmis à diverses tâches. Les parois de la caverne brillaient comme de l'or. Un parfum étrange mais combien subtile aux narines sensibles de Placide s'y dégageait. «Godême, échappa Placide, quoi cé qu'ça? Ça s'pourrait-y que ça soit les lutins dont les vieux parlaient? Ceux qui dérangeaient les chevaux dans les étables durant la nuit? J'me souviens que le vieux

Damasse en parlait souvent, mais personne ne voulait le croire. Pourtant, il semble qu'il disait la vérité!» Il tendit l'oreille à une sorte de murmure venant du fond de la caverne sans rien pouvoir saisir de ce qui semblait être leur conversation. Tout à coup, un grand éclat de rire résonna dans la caverne et se perdit en écho dans le tunnel, suivie d'une incantation douce aux oreilles de Placide qui sombra dans le sommeil. Quand il se réveilla, il était au milieu du rang-clos, parmi les vaches.

Comment s'était-il rendu jusqu'à là? Probablement était-ce les lutins qui l'avaient transporté à cet endroit. La tête encore lourde, il se releva et retourna instinctivement au plâtre. Mais il ne subsistait aucune trace du trou. Cependant, un détail l'intriguait: c'était des traces récentes de petits pas autour du trou. Il avait dû être scellé par les habitants du plâtre de la Belle-Anse désireux de garder secret leur royaume enchanté.

Comme moi, vous pensiez peut-être que le royaume des lutins se trouvait en France avec les farfadets, ou en Irlande avec les lèprechauns. Il n'en est rien! Le royaume des lutins, c'est aux Iles-de-la-Madeleine qu'il est établi, plus précisément dans le canton des Caps, à cet endroit qu'on appelle le plâtre à Arsène.

Les habitants du plâtre
à Arsène...
face à la Soquem

 ne semaine après son extraor-
dinaire aventure au royaume
des lutins, Placide, n'étant
pas si sûr d'avoir rêvé, décida
d'en finir avec cette histoire.
Ce matin-là, en allant tirer ses
vaches, il s'arrêta l'endroit
mystérieux et fut surpris d'y
voir une grande ouverture dans le rocher, qui
n'existait pas auparavant. Il hésita un moment
devant le trou puis y pénétra. Il marcha quelque
temps dans une demi-obscurité. Son pied heurta
une roche dans un détour. À une centaine de pieds
plus loin, il aperçut cette même lumière pâle qu'il
avait vue la première fois. La sueur lui coulait sur
le visage et ses membres tremblaient de peur.
Rendu à ce point, il n'allait tout de même pas
reculer.

Soudain, un drôle de bruit venant d'en arrière le
fit se tourner; ce bruit ressemblait à celui que font
les pêcheurs en marchant, gréés de leurs hardes
cirées. Une multitude de tout petits hommes, aux
yeux noirs et à la peau si rose qu'elle semblait
avoir été cirée, portant des grandes barbes vert
foncé, lui souriaient en montrant des dents
éclatantes. Hauts comme des enfants de deux
ans, ils étaient revêtus de flanelle rouge et bleue.
C'est dans doute les mêmes lutins qu'il avait vus à
cet endroit une semaine plus tôt. Il n'avait donc
pas rêvé. Peu à peu, la peur semblait vouloir le
quitter.

Celui qui semblait être le plus âgé de la bande — le chef sans doute — se plaça juste en face de Placide et, sans bouger les lèvres, comme par une sorte de télépathie, il lui dit sur un ton autoritaire et ferme: «Depuis quelques années, les êtres de l'extérieur viennent troubler notre vie paisible en creusant des trous à travers les murs de notre royaume avec leurs grosses machines qui font un bruit assourdissant et nous empoussièrent.» Puis il prit la main de Placide qui aussitôt eut une sensation de chaleur, et d'un ton plus doux il ajouta: «Viens, je vais te faire visiter mon royaume et te montrer les dégâts que tes semblables font.»

Ils descendirent plusieurs centaines de marches qui débouchaient sur une sorte de salle immense d'où partaient de longs corridors ou tunnels dans toutes les directions qui étaient faiblement éclairés par une lueur blanchâtre dont on ignorait la source. Un courant d'air glacial sortait d'un tunnel qui semblait partir du Pôle Nord. Face à celui-ci, il y en avait un autre d'où sortait un courant d'air très chaud venant probablement de l'Équateur. La croisée des deux vents rendait la température tiède et légèrement humide dans ce vaste hall, d'où une espèce de sensation de bien-être.

Le chef choisit un corridor parmi les autres où il entraîna Placide. Tout en longeant le corridor dont les parois semblaient être de marbre, Placide y appuya sa main. Puis dans un geste pour essuyer son visage, il fut surpris du goût salin qu'il avait sur la main. C'est alors qu'il pensa à la compagnie Soquem qui exploitait le sel aux Iles. Ils poursuivirent leur chemin des heures durant. Placide ignorait dans quelle direction le chef le conduisait; toutefois, il lui semblait se diriger vers le Havre-Aubert. Toujours suivi par

21

une bande de lutins et précédé par le chef, Placide sentait intérieurement un bien-être indescriptible: ses articulations et ses bronches malades qui le faisaient souffrir depuis si longtemps semblaient guéries. Il respirait maintenant beaucoup mieux et marchait sans ressentir de fatigue. Il avait une impression de légèreté, comme la sensation de flotter. Que lui arrivait-il? L'idée de remonter à la surface ne lui souriait plus. Au diable les vaches et tout le reste! se disait-il.

Au cours de cette longue marche, un murmure arrivait aux oreilles de Placide: c'était les lutins qui parlaient entre eux. Soudain, un grand bruit se fit entendre devant eux et, au tournant du corridor, une sorte de tuyau énorme traversait le tunnel obstruant ainsi le passage. C'est alors que le chef dit à Placide, pointant du doigt l'objet: «Tu peux voir par toi-même le tort que les humains nous font à nous, habitants des profondeurs.» Il ramassa une pierre de plâtre plate et, en quelques secondes, y grava des mots. Puis il la présenta à Placide en lui disant: «Porte ceci à ton chef!» Il le conduisit avec toute sa bande jusqu'à l'entrée de la caverne, après quoi ils disparurent après avoir bien refermé l'entrée de la caverne derrière eux.

Aveuglé par la lumière trop vive du soleil, Placide regarda la pierre sans arriver à lire ce qui était écrit. Il prit le chemin de Havre-Aubert et se rendit là où l'on exploitait le sel. Rendu à destination, il demanda et obtint de parler au surintendant. Placide lui présenta la tablette rigide sur laquelle était écrit le message qui ressemblait plutôt à un ultimatum: «Vous autres, humains du monde extérieur, vous massacrez mon royaume. Si vous ne cessez pas vos dégâts, nous vous déclarerons la guerre... une guerre terrible. Nous possédons les moyens psychiques pour le faire...» et l'auteur du message avait signé «Amik, chef incontesté des habitants de l'intérieur».

Le surintendant ne crut pas un mot de cette histoire. Pensant qu'il s'agissait là d'une bonne farce, il rangea la pierre dans un tiroir, parmi toute la paperasse. Cette affaire le laissa perplexe toutefois. Il prit la tablette à nouveau dans ses mains, et y relut le message, tout en examinant dans tous les sens les lettres gravées dans le plâtre. Qui, aux Iles, se serait donné tant de mal? Il la rangea tout de même dans le tiroir et l'oublia pour quelque temps.

Quelques semaines plus tard, des choses bizarres et étranges arrivèrent sur le site même de la mine de sel. Un après-midi, alors que les ouvriers travaillaient dans le puits de la mine, il y eut un éboulis et, chose étrange, aucun mort mais plusieurs blessés. Le lendemain, les machines cessèrent de fonctionner pendant plusieurs heures sans raison et sans qu'on puisse expliquer pourquoi. Le même jour, un camion rempli de matériel, stationné sur la dune en terrain plat, se mit soudain à rouler sans conducteur, avançant dans la mer pour y disparaître quelques minutes plus tard; l'on fit en vain des recherches pour le retrouver.

C'en était assez pour le surintendant de la mine qui, jusqu'ici, n'avait pas attaché foi à l'authenticité du message. Il ordonna d'arrêter les travaux, convoqua une assemblée avec les hauts dirigeants puis, après avoir énuméré les incidents récents, il leur montra le message des lutins. «Mais, insista-t-il, quelle autre explication donner à ces étranges phénomènes?» Aucune! On en discuta encore longtemps pour finalement décider de changer d'endroit. On choisit d'exploiter le sel à la Grosse-Ile.

Par la suite, les manifestations étranges cessèrent et le travail put être effectué normalement jusqu'à... nos jours. Mais pour combien de temps encore? Jusqu'au jour où les lutins manifesteront contre la pollution et la destruction d'un secteur de leur royaume.

la petite barque

lle était bien petite, cette barque; elle ne jaugeait pas plus que quarante tonneaux. Un père et ses trois fils en composaient l'équipage. Ils en étaient très fiers. Leur barque pouvait faire face à n'importe quelle tempête, et on la voyait parfois, par grand vent et grosse mer, disparaître dans le creux de la vague et reparaître sur la crête. Quand le vent était trop fort, on baissait une partie des voiles pour la tenir à la cape. La plupart du temps, la barque servait à transporter des marchandises de la grande terre ou à pêcher — surtout le hareng, très abondant dans les baies au printemps.

On ridiculisait souvent son équipage, qui avait un grand sens de l'humour et riait souvent. «Où c'est que vous allez avec c't'écale de peanut-là? Vous finirez par vous noyer un beau jour!» À quoi on répondait: «Il y a pas mal de marins qui se noient avec des écales plus grosses, alors que nous, nous sommes toujours en vie. Il s'agit de connaître la mer et son bateau; et nous, la mer, on la connaît!»

Bien souvent, nous l'avons vue s'éloigner du quai de Cap-aux-Meules, toutes voiles déployées et gonflées par le vent du nord, puis fendre la vague et, sûre d'elle-même, mettre le cap sur la grande terre. Son équipage, à force d'amour et de caresses, pouvait facilement la manier et la contrôler, fier qu'il était de posséder sa propre barque. Le père et ses fils l'avaient construite amoureusement,de leurs mains, sur le bord du Grand-Ruisseau pendant l'hiver. Au printemps, quand les eaux furent gonflées, on la lança à l'eau comme si la mer n'avait été qu'une grande rivière Au même moment, un bébé naissait dans la famille de l'équipage: c'était de bon augure pour l'avenir de la petite barque. Tout le monde était joyeux: une grande aventure commençait. Enfin, on allait être propriétaire de son propre bâtiment; on n'aurait donc plus à travailler pour les autres et, ainsi, les profits resteraient dans la famille. Après le lancement, on organisa une grande fête sur le pont. Tous les voisins et amis y participèrent avec leurs instruments de musique; ils s'amusèrent et dansèrent jusqu'au matin. Le lendemain, après avoir passé toute la nuit à fêter, on se rendit tout de même à Cap-aux-Meules, on chargea la cargaison et on embarqua des provisions pour le premier voyage à la grande terre. Tout se passa normalement et l'on revint à bon port sain et sauf.

Les semaines suivantes, on continua à faire du commerce avec la grande terre, et cela dura jusqu'au mois de mai, alors que le hareng revient comme à chaque printemps et pullule dans la baie de Plaisance. Plusieurs bâtiments étranges se trouvaient déjà dans la baie; quatre-vingt-cinq en tout, notamment des bâtiments américains de taille énorme comparativement à la petite barque, puisqu'ils jaugeaient plus de deux cents tonneaux alors qu'elle n'en faisait que quarante.

Les équipages de ces gros bâtiments se moquaient parfois, en passant devant la petite barque: «Quoi c'est que vous faites là, vous autres? Vous êtes tellement petits qu'on vous voit à peine. Vous risquez de vous faire couler.

—Faites-vous-en pas pour nous; on passera dans des endroits où vous ne pourrez pas passer parce que vous êtes trop gros», leur répondait le capitaine de la barque.

Il faut dire que, ce mois de mai-là, le hareng abondait dans la baie de Plaisance. Au clair de lune, on le voyait frétiller à la surface de la mer, projetant des millions de petites lumières. La baie en était remplie. Tous les pêcheurs pensaient que leur rêve allait se réaliser et qu'ils feraient fortune.

Mais une nuit, vers deux heures du matin, le vent vira brusquement de bord: du nordet qu'il était, il vira au sud-est et, en l'espace d'une demi-heure, prit l'allure d'un véritable ouragan. Les gros bâtiments étaient projetés les uns contre les autres et les mâts se brisaient comme des allumettes. Puis, on entendit un fracas assourdissant: c'étaient les ancres qui s'accrochaient. Tous les équipages furent pris de panique. Quelques-uns tentèrent tant bien que mal de se mettre à la cape pour affronter la tempête; d'autres partirent à la dérive vers la côte, où ils s'éventrèrent. Les hommes s'arrachaient les cheveux, craignant de tout perdre, sauf leur vie. Leur grand rêve était à l'eau!

L'équipage de la petite barque voyait les gros bâtiments arracher leur ancre et, poussés par l'ouragan, aller se disloquer sur la côte du Havre-aux-Maisons ou de l'Anse chez Louis. Tous les gros bâtiments y passèrent. La tempête calmée, on ne vit plus que la petite barque dans la baie. Elle seule avait pu résister à l'ouragan. Rassuré, l'équipage revint paisiblement au quai de Cap-aux-Meules pour y décharger sa cargaison de hareng.

Le lendemain, au magasin général, on pouvait voir les pêcheurs américains, la mine basse, affligés d'avoir tout perdu. Ce fut au tour de l'équipage de la petite barque de se moquer des Américains: «Vos grosses écales de peanut sont sur le bord de la côte, éventrées, hein? La nôtre est petite mais elle a été épargnée! Ça valait bien la peine d'être gros!»

La bataille du Bassin aux huîtres

l se trouve aux Iles, plus précisément à la Grande-Entrée, un bassin que l'on appelle Bassin aux huîtres. Il y a plus de cent ans vivait là, heureuse, paisible et sans histoire, une colonie de belles huîtres. Elles étaient les seuls mollusques à vivre dans ces parages et ne se connaissaient aucun ennemi.

La colonie huîtrière était dirigée par un mollusque mâle du nom de Gluant. Ce vieux sage leur donnait souvent de bons conseils, mais il s'en trouvait parmi la colonie des écervelés qui ne les écoutaient pas toujours et s'aventuraient en dehors du bassin; quelques jours plus tard, on retrouvait leur cadavre gisant sur la plage, la coquille vide entrouverte.

Pendant les jours de tempête, les huîtres s'appilottaient les unes sur les autres et s'ancraient au fond de la mer pour se protéger et ne pas être emportées par le courant. Elles étaient en bonne santé — ignorant totalement la pollution — et ne connaissaient pas la maladie. La plupart mourraient de vieillesse; plusieurs d'entre elles atteignaient l'âge respectable de cinq ans. Quand le temps pour elles arrivait de mourir, elles se laissaient emporter par le courant; souvent, leur cadavre était retrouvé sur les plages de Havre-aux-Maisons.

Dans ce bassin tranquille, la nourriture était abondante: inutile de chercher ailleurs. De temps en temps, des crabes venaient conter fleurette à leurs concitoyennes, mais elles s'en méfiaient: elles les disaient hypocrites et sournois. On a vu souvent une huître ouvrir sa coquille et le crabe profiter de l'occasion pour lui planter une de ses pinces dans l'estomac; plusieurs d'entre elles furent violées de cette façon, ce qui n'était pas peu douloureux.

Un soir, par un beau clair de lune, le chef Gluant se promenait au bord de la plage,le regard tourné vers le large. Tout à coup, il aperçoit des formes qui bougeaient de l'autre côté du bassin; il appela vite quelques-uns des membres de sa colonie pour leur faire observer ce phénomène plutôt étrange. Des coques et des palourdes s'avançaient lentement, avec l'idée d'envahir le territoire des huîtres. Le vieux chef rassembla tous les mâles et leur déclara solennellement: «Mes chers amis, demain, nous aurons à faire face, pour la première fois de notre histoire, à des ennemis terribles, des coques et des palourdes. Il faudra défendre notre territoire, coûte que coûte.»

Comme prévu,le lendemain, avant l'aube, les palourdes, fortes de leur grosse coquille, arrivèrent les premières, comme des chars d'assaut, suivies des coques armées de leur grosse tétine et de leur jet d'eau qui servait à aveugler les huîtres. La bataille fut juteuse — c'est le moins que l'on puisse dire — et terrible (un peu moins toutefois que ne l'avait été la déportation des Acadiens, car les huîtres, elles, avaient vu venir l'ennemi). Dans l'après-midi du premier jour de l'attaque, déjà les pertes étaient nombreuses: des milliers de coquilles d'huîtres gisaient sur le sable blond de la dune. Le vieux chef Gluant, atteint mortellement au flanc gauche par une tétine de coque, rassembla ses lieutenants près de lui et d'une voix affaiblie et triste — en se tenant la coquille

— il leur dit: «Rendez-vous, ils sont trop puissants!» Puis, il expira. Mais les lieutenants ne suivirent pas le conseil de leur chef. Ils décidèrent de continuer le combat. Ils furent à la fin refoulés jusqu'à la mer: ce fut alors un sauve qui peut.

Un petit nombre d'huîtres emportées par le courant réussirent à se grouper. Elles partirent à l'aventure, au gré des vagues pour se retrouver près des côtes du Nouveau-Brunswick. C'est probablement les arrière-arrière-rejetons de ces huîtres qui vous mangez aujourd'hui, huîtres originaires du Bassin aux huîtres, à la Grande-Entrée.

La manne de harengs

es habitants de Cap-Vert et de Grand-Ruisseau virent un bon matin des millions de petites lumières qui miroitaient sur la baie de Grand-Ruisseau. Ces lumières qui les aveuglaient étaient le reflet du soleil sur le ventre des harengs entrés dans la Baie par le chenal de Havre-aux-Maisons, chose qui ne s'était jamais produite auparavant.

Ce matin-là, l'on vit donc un grand nombre de pêcheurs descendre en hâte vers le petit quai et embarquer dans leur bateau pour appareiller vers cette manne qui leur paraissait inépuisable. Clophas, qui habitait sur la butte du Cap-Vert, était le premier rendu avec le vieux Daniel, de Grand-Ruisseau. Ils étaient heureux, à la vue de tant de poissons. Avant la fin de l'après-midi, ils en étaient déjà à leur dixième voyage après avoir vendu les neuf autres aux boucaneries.

Le lendemain matin, à marée haute, l'eau continua à monter d'une façon inhabituelle, refoulant l'eau du Grand-Ruisseau jusqu'à sa source et le remplissant de harengs. La mer houleuse inonda alors toutes les terres basses depuis le pied de la butte du Marconi; elle monta même jusqu'à la mi-hauteur des arbres du bois au défunt Phil.

Même si le prix du hareng était très bas cette année-là — soit quelques piastres la tonne — on réussirait, avec ces millions de tonnes de hareng, à faire un peu d'argent sans être obligé d'échanger pour des produits pris au magasin général. La crise économique tirait à sa fin et l'argent recommençait à rouler aux Iles.

L'eau salée de la mer montait toujours et remplissait les caves des maisons, ruinant la nourriture qui s'y trouvait. De nombreux Madelinots se voyaient forcés de gaboter en canotte d'un lieu à l'autre, tant l'eau s'était accumulée. Dans les étables, les animaux avaient de l'eau jusqu'au ventre. La canton de Grand-Ruisseau ressemblait à une vraie mer. Heureusement, à la marée suivante, la mer se retira lentement, sans se presser, laissant derrière elle tous les harengs qu'elle avait charriés. On ne pouvait pas sortir des maisons sans marcher dans la chair de poisson, s'y enfonçant d'au moins six pouces. Puis, les jours suivants, le soleil apparut; il réchauffa la terre et sécha l'eau qui s'évaporait laissant là les poissons qui pourrissaient et dégageaient une odeur désagréable. Qu'allait-on faire de tous ces poissons pourris dont les champs étaient infestés? Dans le bois à Phil, on pouvait même voir des harengs accrochés aux branches des arbres. On aurait cru des arbres produisant des harengs, des espèces de harengtiers...

Pour discuter de cette situation critique, les membres du conseil municipal — dont Cyrice Harvie était le maire — se réunirent. L'assemblée commença à dix heures du matin et se prolongea jusque tard dans la nuit suivante. À l'ordre du jour, un seul point: «Qu'allait-on faire de tous ces poissons pourris?» Personne encore n'avait suggéré une solution valable à ce grave problème. Comment pouvait-on envisager de nettoyer les champs alors que tous les hommes étaient occupés à pêcher.

Soudain, au fond de la salle, un petit homme se leva, tout gêné. C'était le vieux Daniel, de Grand-Ruisseau. D'une voix tremblante, il leur dit: «Moa, j'aurais une idée, J'sais pas si a lé bonne...» Et les autres de hucher: «Enwoie-la ton idée, on en a besoin!» Aussitôt le vieux Daniel reprit: «D'accord, excitez-vous pas! J'vas vous la donner!» Il prit alors une grande respiration comme pour se donner de l'assurance: «Ben moa, c'que je pense, c'est que si on labourait nos terres pour enterrer le poisson et qu'on plantait des patates, des choux-raves et des choux ou qu'on semait du foin, le hareng ferait un Godême de bon engrais...»

Un cri d'approbation et d'admiration monta aussitôt dans la salle, et l'on félicita le vieux Daniel pour l'idée géniale qu'il venait d'émettre. L'asemblée fut levée après un débat qui avait duré plus de seize heures dans une salle emboucanée.

On suivit le conseil du vieux. Dès la fin de mai, on planta tout ce que l'on avait à planter et, à peine la fin de juillet venue, on commença la récolte abondante: des patates pesant jusqu'à cinq livres chacune, une deuxième récolte de foin et des choux plantureux. Jamais on n'avait vu pareille récolte. Le conseil du vieux Daniel avait porté fruit...

Sylvain,
le joueur de flûte de verne

ylvain était un garçonnet plein d'énergie, couvert de talent et intelligent par surcroît. Il maniait la musique à bouche comme pas un: quelques heures lui suffisaient pour apprendre n'importe quel air. Ses parents étaient pauvres et habitaient près du Bois au défunt Phil, à Grand-Ruisseau. De nature solitaire, Sylvain se promenait souvent au milieu de ce petit boisé avec sa musique à bouche, faisant entendre des sons enchanteurs et très mélodieux.

Un jour, sa musique à bouche se brisa: il n'en sortait plus que des sons rauques et disgracieux. Déconforté, Sylvain essaya bien de la réparer, mais c'était peine perdue. Il l'enterra donc avec respect au pied d'un arbre pour tenter de chasser la peine qu'il ressentait en la voyant ainsi.

Alibert, l'oncle du garçonnet, s'était aperçu que la musique à bouche de Sylvain ne jouait plus. Il décida de lui en fabriquer une. Il prit donc une branche de verne parmi celles qui poussaient derrière la maison puis, avec son couteau de poche, commença à la chacoter pour finalement lui donner l'apparence d'une belle petite flûte d'où sortaient des sons merveilleux. Il l'offrit à Sylvain qui éclata de joie et se mit aussitôt à jouer de façon telle qu'on aurait cru entendre un joueur professionnel.

Au cours d'une promenade au Bois du défunt Phil, Sylvain s'assied au pied d'un gros arbre et commença à jouer. Il jouait si bien que les corbeaux, d'ordinaire très bruyants, cessèrent leur croassement et se posèrent tout doucement sur les branches du gros arbre comme pour écouter silencieusement le jeune garçon; des petits oiseaux venaient même se poser sur ses épaules. Sortis d'un sous-bois, deux lapins, qui se tenaient debout sur leurs pattes de derrière, se mirent soudain à danser en rond, envoûtés par cette musique merveilleuse. Sylvain, lui, semblait hypnotisé par sa propre musique qu'il composait au fur et à mesure qu'il jouait. Qui sait, l'esprit d'un grand musicien mort depuis longtemps avait peut-être pris possession de son corps? Son visage en était transformé, et ses doigts se promenaient sur la flûte de l'oncle Alibert avec une agilité et une grâce extraordinaire.

Tout à coup, Sylvain aperçut des ombres qui se faufilaient à travers les arbres. Comme c'était à la brunante, ils les distinguait mal. Il leva les yeux vers la cime des arbres et crut voir des papillons géants qui voltigeaient de branche en branche. Puis, en face de lui, à ses pieds, la terre commença à bouger; des petits bonshommes en sortirent — des lutins sans doute — et commencèrent à danser une ronde. Les personnages qui se faufilaient d'arbre en arbre sortirent enfin de l'ombre et s'approchèrent de lui. Ils avaient des pieds de veau et deux petites cornes au front: c'étaient le Dieu Pan et ses fils qui, attirés par la musique de Sylvain, étaient venus jusqu'à lui. Ils se joignirent aux lutins pour danser. Alors, de la cime des arbres, descendirent de belles nymphes qui s'ajoutèrent à ceux qui étaient déjà près de Sylvain: c'étaient les nymphes du Bois à Phil. Quelle fête pour tout ce monde merveilleux!

Avec sa flûte de verne, Sylvain avait apparemment décroché des ondes sonores rendant visibles tous les êtres qui habitaient le Bois à Phil. Tout à coup, une mouche venue de nulle part entre dans un des trous de la flûte; aussitôt des sons discordants s'en échappent, puis plus rien. Au même moment, tout ce monde merveilleux disparut.

Il commençait à faire noir. Sylvain était maintenant seul dans le bois. Il revint à la maison et ne dit mot de ce qu'il venait de vivre. Il s'empressa de nettoyer sa flûte de verne, en ôta la mouche qui s'y était introduite, redonnant à la flûte les mêmes sons qu'auparavant.

Le lendemain, à la brunante, il retourna dans le Bois à Phil avec sa flûte, s'assied au pied du même gros arbre et joua les mêmes airs que la veille, mais il ne vit personne. Il demeura là quelque temps, désenchanté, à la vue de cette flûte de verne qui avait hélas perdu son charme et ses pouvoirs.

Le rôdeur de dunes

ean Décosse était un colosse de six pieds et quatre pouces, pesant au-delà de deux cents livres et fort comme six hommes. Il ne craignait ni Dieu ni diable. Jean allait souvent rôder sur les dunes pour y couper du foin et ramasser des billots et des objets de toutes sortes que la marée haute apportait régulièrement sur la côte.

Il partait de chez lui tôt le matin. Debout dans sa charrette tirée par un cheval, il respirait l'air salin que poussait le vent du large, un air imprégné de cette liberté dont jouissaient les goélands. Parfois il passait la nuit sur place, dans une de ces cabanes bâties par des gens qui allaient comme lui couper du foin sur la dune. C'était la coutume du temps de partir avec sa famille, pour une semaine ou deux parfois, le temps de couper tout le foin.

Ce jour-là, sous un soleil brûlant, Jean se promenait comme d'habitude sur la dune, marchant à côté de son cheval et chantant le plus fort possible pour rivaliser avec le bruit de la mer. Il faut dire qu'il avait une belle voix, la plus belle que l'on pouvait entendre le dimanche à la messe. C'était le meilleur chanteur du canton; aussi, quand il y avait une soirée ou une noce, allait-on le chercher pour chanter et en même temps maintenir l'ordre - car les jeunes le craignaient et le respectaient.

Il marchait toujours sur la dune, quand il aperçut, à un quart de mille, un homme immobile qui paraissait contempler la mer. Intrigué, il continua à marcher. Mais plus il approchait, plus il lui semblait que l'homme n'avait pas de tête. Haussant les épaules, il se dit que ce ne pouvait être qu'hallucination. Lorsqu'il fut tout près, il s'aperçut avec horreur qu'il ne s'était pas trompé: l'homme était debout, immobile, avec sa tête sous le bras droit. Pris de panique, Jean se mit à trembler, lui, le brave qui n'avait jamais peur de rien. Ne pouvant faire un pas de plus, il restait figé là, comme paralysé, regardant fixement la sinistre apparition.

Tout à coup, l'homme disparut. Jean tenta de se ressaisir et, encore tout tremblant, s'apprêta à rebrousser chemin. Mais il avait à peine fait trois pas qu'il aperçut, à cent pieds de lui, deux hommes debout, immobiles, avec leur tête sous le bras droit. Les deux hommes paraissaient discuter, en gesticulant de leur bras gauche. Décidé d'en finir, Jean se dit:«Écoute, t'as jamais eu peur de rien. C'est pas des petites hallucinations du genre qui vont t'apeurer.» Il s'avança donc lentement vers les deux hommes sans tête. Arrivé à vingt pieds d'eux, il allait leur adresser la parole quand ils disparurent brusquement. Il poursuivit sa route et, avant de rentrer chez lui, s'arrêta chez le curé et lui raconta l'aventure qu'il venait de vivre. Devant l'incrédulité du curé, Jean s'exclama: «Eh bé, Gôdême! si vous ne me croyez pas, qui va me croirę? Puisque je vous dis que les deux hommes sans tête, j'les ai vus et qu'ils ont disparu ensuite.»

Tôt le lendemain matin, il repartit pour la dune avec son chien, pour encore une fois y ramasser des billots. Pas un instant l'image de ces hommes sans tête ne l'avait quitté. Mais, cette fois, il avait pris soin d'apporter son fusil. Il se dit tout haut: «Si je les vois, je vais leur passer une balle à travers la peau.» Il travailla toute la journée sans rien voir. À la brunante, il s'aperçut qu'il s'était attardé plus que d'habitude et qu'il n'aurait pas le temps de rentrer à la maison. Il décida donc de passer la nuit sur la dune. Il entra dans une cabane et alluma un bon feu pour faire cuire quelques palourdes et du homard qu'il avait réussi à prendre.

Après le repas, il se coucha tôt, épuisé par cette journée au grand air.

À minuit tapant, il fut éveillé par un bruit infernal de chaînes et de madriers jetés à la mer. Des voix d'hommes qui hurlaient des ordres arrivaient jusqu'à lui. Bon Dieu! pensa-t-il, il y a un bateau qui vient de faire côte. Il ouvrit la porte; son chien lui passa entre les jambes et, à peine sorti, commença à se battre avec un autre chien que Jean entendait mais n'arrivait pas à voir. Pour se rassurer, il fit le tour de la cabane. Ne voyant toujours rien, il rentra se coucher. Cinq minutes plus tard, le bruit cessa et tout redevint calme.

Le lendemain matin, au petit jour, il rentra chez lui. En le voyant, sa femme s'écria: «Mais quoi c'est qui t'est arrivé? T'es blême, jaune, vert, de toutes les couleurs! Tu fais zire et mal au coeur! Es-tu malade?

—Mais non, répondit-il, je ne suis pas malade! Je n'ai rien! Sais-tu si le curé est au presbytère?

—Pourquoi? reprit sa femme. Aurais-tu envie de mourir tout de suite? Voudrais-tu te faire administrer?»

Il sortit de chez lui en claquant la porte.

Jean retourna donc chez le curé et lui raconta sa nouvelle aventure. Le curé lui dit: «Ce que tu as vécu cette nuit est probablement un phénomène parapsychique, chose qui arrive rarement. Si le naufrage n'a pas eu lieu, il aura peut-être lieu prochainement. Surveille bien la côte.»

En effet, quinze jours plus tard, un brick chargé de madriers à destination de l'Europe vint échouer à cet endroit. Jean se trouvait sur la dune à ce moment-là, et il vécut de nouveau les événements de la fameuse nuit.

Vous pouvez voir aujourd'hui l'endroit précis où échoua le bateau, entre la Pointe-aux-Loups et la Grosse-Ile; il porte le nom de l'Anse-au-petit-brick.

Le monstre marin

était un matin de la mi-mai, un matin comme beaucoup d'autres: l'air était pur et la mer, un véritable miroir. Seul le bruit des moteurs des petits bateaux de pêche se répercutait à plusieurs milles à la ronde: musique familière aux oreilles des pêcheurs. Un bon mois était écoulé depuis que les glaces étaient disparues des baies. Et la pêche au homard, commencée depuis peu, s'annonçait intéressante.

Armand et Avila avaient profité du long et rigoureux hiver pour mettre leur gréement de pêche à point. Ils possédaient bien trois cents cages à homard en parfaite condition. Ce matin-là, ils se levèrent à trois heures pour profiter au maximum de la lumière du jour. De plus, le temps qu'il leur fallait pour se rendre sur les hauts fonds était considérable. Ils appareillèrent donc en hâte leur bateau ancré à quelques pieds de la plage, en face de leur maison.

Devant eux, à l'horizon, le soleil annonçait déjà une chaude journée. À la surface de l'eau, le miroitement bleuté des bandes de harengs qui frétillaient ressemblait à autant de petites lumières. Des pourcis s'amusaient à suivre nos deux pêcheurs sautant par moments hors de l'eau comme des petits enfants enjoués. Avila chantonnait tandis qu'Armand l'écoutait, placide, le regard tourné vers le large. Ils repérèrent enfin la bouée indiquant l'endroit où leurs cages étaient ancrées. Alors, Avila ralentit le moteur et dirigea le bateau vers cet endroit; puis, il jeta l'ancre. Une à une, ils levèrent les cages pour y prendre le homard qui s'y trouvait et, les reboëtant de hareng, ils les remettaient aussitôt à l'eau.

Un sourire de satisfaction se dessinait sur leur visage à la vue de tout ce homard qui s'accumulait dans leur bateau: une vraie pêche miraculeuse! À quelques pieds d'eux, un loup-marin sortit soudain la tête de l'eau, les regarda d'un drôle d'air comme pour leur reprocher leur présence dans son domaine. Tout à coup, alors qu'ils étaient occupés à retirer le homard des cages, leur bateau se mit à ballotter malgré que la mer était calme. Avila et Armand n'y comprenaient rien. Ils jetèrent un coup d'oeil rapide autour du bateau: horreur! un cri sourd leur échappa à la vue d'une espèce de serpent qui sortait de l'eau. D'un mouvement ondulé, il entrait dans le bateau, saisissait un homard et disparaissait vite sous l'eau pour réapparaître quelques minutes plus tard et recommencer le même manège. Plus de la moitié de leur homard avait disparu. Stupéfiés, les deux frères regardaient ce monstre venu de on ne sait où. Puis, reprenant enfin ses sens, Armand dit à son frère: «Passe-moi la hache! J'vas couper c'te Godême-là!» Et, d'un geste nerveux, il saisit la hache que lui tendait Avila et sectionna le serpent en deux: un bout resta dans le fond du bateau et l'autre disparut sous l'eau dans un bouillonnement spectaculaire. La mer autour d'eux devint alors noire comme de l'encre. Remis de leurs émotions, ils examinèrent ce bout de serpent de mer resté dans le bateau; sa surface était visqueuse et, d'un côté, on aurait dit des ventouses. C'était la première fois qu'ils voyaient une telle chose. Armand n'avait pas vraiment peur. Faut dire qu'il en avait vu d'autres — lui le vétéran de la guerre — mais il fallait tout de même être prudent: si le monstre revenait pour se venger... Il lança à Avila: «Pars vite le moteur, on s'en va!» Puis, sans prendre le temps de relever les cages encore à l'eau, ils démarrèrent à pleine vitesse en direction du petit quai de l'Étang-du- Nord.

Des gens, flânant sur le quai, se demandaient ce qui pouvait bien leur être arrivé pour qu'ils reviennent si tôt. Leur bateau amarré à un des pôteaux du quai, Avila et Armand montrèrent aux curieux le bout du serpent géant: tous l'examinèrent, les yeux écarquillés. Jamais encore on avait vu chose pareille! Mais il se trouvait parmi eux un biologiste qui, en voyant le monstre leur dit: «C'est une tentacule d'une énorme pieuvre que vous avez là. Comptez-vous chanceux d'être encore vivants: ce monstre marin aurait pu vous entraîner au fond de la mer avec lui.»

Si un jour, en relevant vos cages, vous apercevez une pieuvre à qui il manque une tentacule, demandez-lui ce qu'elle a fait de tout le homard qu'elle a volé à Armand et Avila...

Les deux coquerelles

 eux grasses coquerelles, sur un tas de fumier, montraient leurs ailes au fils du fermier. Et ce fils de fermier, Jean-Claude, était un pacifique, un doux. Il ne voulait faire de mal à personne, pas même à une coquerelle... et les coquerelles le savaient.

Les deux coquerelles. Anita et Rita, n'étaient pas habituées à la campagne. D'origine montréalaise, elles avaient par erreur accompagné des touristes en visite aux Iles. Elles s'ennuyaient à mourir, habituées qu'elles étaient à vivre dans des maisons. Ici, elles étaient forcées de vivre dans une étable, près des animaux qui dégageaient une odeur qu'elles trouvaient répugnante, elles qui étaient habituées aux odeurs agréables d'une cuisine où vivaient des humains. Maintenant, le seul humain qu'elles avaient l'occasion de rencontrer était le fils du fermier, Jean-Claude, qu'elles aimaient beaucoup. Elles comprenaient qu'il était bon et doux; elles avaient confiance en lui. Parfois, quand il venait faire le train d'étable, il s'assoyait sur un sac de grains et leur parlait dans un langage qu'elles ne comprenaient pas toujours, car l'accent des Iles était quelque peu différent de celui de Montréal. Mais elles l'écoutaient quand même. C'est pourquoi, un beau jour, elles décidèrent de lui montrer leurs ailes, ce qui était peu banal.

Jean-Claude passait pour idiot dans son canton. Il n'avait pas d'amis. À ses yeux, le monde était trop cruel: on détruisait les rats, les souris, les mouches et même les coquerelles, ces pauvres petites bêtes inoffensives. C'est pour cette raison qu'il voulait se faire des amis d'Anita et de Rita. Elles ne demandaient pas mieux, leurs pires ennemis étant les humains. C'est donc avec joie qu'elles acceptèrent l'amitié de Jean-Claude; elles en avaient besoin. Parfois, tout en prenant des fourchées de foin, Jean-Claude les laissait se percher quelque temps sur le manche de la fourche; c'était amusant.

Un jour, Anita dit à sa compagne: «Si on essayait de se rendre à la maison du fermier, ce serait certes beaucoup mieux. Je suis tannée de vivre ici, à l'étable, parmi les animaux. C'est sale, plein de fumier, et ça pue ici.» Il faut dire que les coquerelles aiment beaucoup la propreté. Mais Rita, plus réaliste, lui répondit: «Sais-tu, Anita, quelle distance il y a entre l'étable et la maison? Presque quinze cents pieds! (ce qui est énorme pour des coquerelles). Sans compter qu'il y a un ruisseau à traverser.

—T'occupe pas de ça Rita; quand nous serons rendues au ruisseau, je saurai bien quoi faire. Je veux seulement être sûre que tu vas venir avec moi.

—Bien sûr que j'irai avec toi, dit Rita. Je ne vais tout de même pas rester ici toute seule!

—Préparons-nous, enchaîna Anita; demain matin, on part.»

Dès le lendemain, au petit jour, elles mettent leur projet à exécution. Elles passent par un tunnel en arrière de l'étable, traversant le champ de foin, montent et descendent des monticules qui pour elles sont hauts comme des montagnes et, fatiguées et tout en sueur, arrivent enfin au ruisseau.

Regardant son amie, Rita demanda d'un ton sarcastique: «Qu'est-ce que tu vas faire maintenant?

—Écoute bien, dit Anita, on va suivre le ruisseau jusqu'aux chutes.» Elles obliquèrent vers la gauche et, rendues aux chutes, elles choisirent un brin de paille et le creusèrent pour en faire une sorte de canot. Un brin d'herbe servant d'aviron, elles descendirent le courant pour arriver à l'autre bout du ruisseau, juste au pied de la maison. Elles débarquèrent et entreprirent de parcourir la distance qui les séparait de leur but, soit une dizaine de pieds. Au bout d'une heure, elles parvinrent à l'entrée d'un tunnel probalement creusé par des souris et qui conduisait dans une cave ténébreuse. Dans l'obscurité la plus complète, elles gagnèrent un des poteaux qui soutenaient la maison et se mirent à y grimper. Puis, se glissant par une fente du plancher, elles débouchèrent dans la cuisine où tout reluisait de propreté. La maîtresse de maison faisait sa popote sur le poêle et une bonne odeur de choux arriva jusqu'à elles. Anita et Rita étaient émerveillées. Mais, en les apercevant, la femme poussa un cri d'horreur: «On est envahi par les coquerelles! S'il y en a deux, il doit y en avoir une colonie.» Elle prit tous les moyens nécessaires pour se débarrasser des indésirables.

Elle acheta une poudre spéciale, qu'elle répandit dans tous les recoins de la cuisine. Incapables de respirer, Rita et Anita durent battre en retraite. Elles retournèrent donc à l'étable. Le voyage de retour fut long et pénible. Elles retrouvèrent l'odeur du fumier mais, en même temps, leur liberté. De toute façon, cette odeur leur était plus supportable que celle du produit chimique répandu par la maîtresse de maison. Au moins, à l'étable, retrouvaient-elles en Jean-Claude un ami sûr.

Le jardin magique

uel beau jardin que celui de Paul à Ramsé! De forme carrée, il mesurait bien quatre-vingt-huit pieds de côté. En son milieu, un bouleau énorme et vigoureux faisait l'envie des voisins. À l'ombre de ce bouleau poussaient des légumes de toutes sortes — les plus gros et plus beaux des Iles. Du côté sud, un oranger y poussait sans que personne n'y eut semé de graines; c'était d'ailleurs le seul oranger qu'on trouvait sur les Iles. Chose bizarre, le vent s'éloignait, n'osant approcher, semblait-il, de ce lopin de terre. À l'intérieur de ce carré, aucune brise ne venait secouer les jeunes plants, même si, autour, le vent faisait rage. C'était plutôt mystérieux! Paul n'était pas peu fier de ce jardin qui lui fournissait le nécessaire pour nourrir sa famille tout l'été et une partie de l'hiver.

En entrant dans ce jardin, on avait l'impression de s'introduire dans une petite jungle: certains plants de légumes dépassaient la taille d'un homme. De toutes les parties des Iles, des curieux venaient admirer ce jardin typique qui semblait sortir d'un conte de fées. Paul ne trouvait aucune explication à ce phénomène. Cette terre, il l'avait eue en héritage de son père qui, lui, la tenait aussi de son père. Cependant, il savait être le premier à cultiver ce terrain qui était situé à une distance considérable de sa propre maison. Comme ce jardin était fructueux, Paul décida de l'agrandir d'un côté. Il sema donc diverses graines mais aucune ne produisit les légumes désirés. À peine sorties de terre, les jeunes pousses chétives séchaient avant même de produire des fruits.

Un soir, au crépuscule, alors qu'il était à bêcher son jardin, Paul frappa quelque chose de dur avec sa tranche: une roche, sans doute. pensa-t-il. Comme il ne parvenait pas à trouver le bout de la roche, il continua à bêcher pour réaliser à la fin que ce n'était pas une roche mais bien le fondement d'une maison ou d'un édifice quelconque. Avec une pelle, il creusa de chaque côté de ce solage qui mesurait environ quatre pieds de profondeur et qui était composé de plusieurs blocs de pierre reliés les uns au autres pour former un quadrilatère en culture. Surpris et intrigué à la fois, Paul poussa plus loin sa curiosité et découvrit, gravés sur ces pierres, plusieurs signes en forme de huit et une sorte d'étoile dont une pointe, plus longue que les autres pointait vers le sud. Paul ne pouvait comprendre la signification de ces signes mystérieux.

Après plusieurs heures de travail, Paul retourna à la maison. Le soir venu, seul avec lui-même, il pensa à ce qu'il avait découvert et se dit: «Le chiffre huit, formé de deux cercles, doit représenter l'Infini, l'Univers sans fin. Ce chiffre huit doit être un chiffre magique, donc mon jardin serait un carré magique.» Mais quelle explication donner à l'étoile avec sa longue pointe orientée vers le sud? Paul n'y trouvait aucune signification, si ce n'est qu'elle pointait vers la croix du sud, au-dessus de l'horizon. De toute façon, il s'en foutait; il n'allait pas se creuser la tête pour trouver une explication aux choses mystérieuses.

Une interrogation subsistait toutefois dans son esprit: «Qui avait pu monter un tel fondement?»

Le lendemain matin, frais et dispos, bêche et pelle en mains, il continua de creuser autour du béton. Il finit par en dégager un bloc énorme et lourd qu'il mit de côté. Presque au même moment, toutes les plantes de son jardin dépérirent à vue d'oeil et ne tardèrent pas à sécher. En l'espace d'une heure, pas une seule plante ne subsistait dans son jardin, même le beau bouleau sécha.

En soulevant le bloc du carré, Paul en avait brisé la puissance magique dont bénéficiait son jardin privilégié. Démuni et comme perdu dans ses pensées, Paul se demandait toujours qui avait pu construire un tel fondement, et pourquoi l'avait-il fait? Jamais personne ne put lui répondre...

Antoine et le Dieu Pan

a maison d'Antoine était bâtie le long du chemin, à proximité de la plage de l'Anse chez Louis. Il cultivait un lopin de terre et élevait un bon nombre d'animaux, dont un cheval.

Taciturne de nature, Antoine observait beaucoup plus qu'il ne parlait. Il avait remarqué, entre autres choses, en allant faire son train d'étable tôt le matin, que son cheval était la plupart du temps tout en sueur et semblait essoufflé; que ses crins étaient tressés de telle manière qu'il ne pouvait pas défaire les tresses. Certains prétendaient que c'étaient des lutins qui en étaient les auteurs mais Antoine, plus sceptique, n'y croyait pas.

Décidé d'en avoir le coeur net, Antoine s'installa à la fenêtre de sa maison pour surveiller l'étable. Il guetta à distance durant plusieurs soirées sans rien voir d'anormal et pourtant, à tous les matins, son cheval, tout couvert d'écume, présentait la même fatigue. Antoine prit donc les grands moyens. «Ce soir, dit-il à sa femme, j'vas passer la nuit dans l'étable pour pogner les énergumènes qui viennent déranger mon cheval.» Le soir venu, il s'arma d'une fourche puis il monta au grenier de l'étable; là, il s'assit sur un tas de foin et attendit...

Il était déjà minuit et rien d'anormal ne s'était produit; tout était calme dans la grange: les animaux dormaient depuis longtemps et Antoine, les paupières lourdes, devait fournir un effort pour résister au sommeil. Soudain, vers minuit et demie, il entend la porte qui s'ouvre doucement dans un grincement causé par les pentures rouillées. Son regard se braqua sur cette porte: un frisson de peur le secoua de la tête aux pieds en même temps qu'il sentit un pincement à l'estomac. En l'espace de quelques secondes, ses cheveux devinrent blancs comme neige. Il venait d'entrevoir, à la lueur d'un rayon de lune qui s'infiltrait par la petite fenêtre, dans l'entrebâillement de la porte, un être moitié homme moitié animal qui portait une barbiche au menton et deux petites cornes au front. Ses pieds avaient l'apparence de pattes de veau et sa taille était celle d'un homme ordinaire. Dans sa main, il tenait un objet ressemblant à un tuyau. Antoine crut que c'était le diable.

L'être étrange s'assied sur une barrique qui se trouvait là et porta à sa bouche l'objet cylindrique et il souffla dedans: il en sortit des sons musicaux d'une force soulevante qu'Antoine n'avait jamais entendus auparavant. Tout à coup, le cheval, qui était amarré à la crèche, se démarra seul et, comme par enchantement, se leva sur ses pattes de derrière et se mit à danser au son de la musique mystérieuse en faisant claquer ses sabots. L'étable devint toute illuminée. Antoine était fasciné par ce spectacle inusité. Il respirait à peine de crainte d'être repéré par cet étrange personnage qui était venu à la place des lutins qu'il croyait surprendre. Un éternuement échappa à Antoine. Alors, le bizarre personnage, en tournant la tête, leva les yeux vers le grenier et aperçut Antoine. Il lui sourit amicalement et l'invita à descendre pour prendre part à la danse. Antoine hésita un moment; enfin, il rangea sa fourche dans un coin puis, encore craintif, il descendit les marches de l'échelle et demeura debout juste au bas, sans bouger. L'inconnu l'invita à s'asseoir à côté de lui, mais Antoine ne bougea point. Toutefois, il osa ouvrir la bouche pour lui adresser la parole: «Qui cé que té? J'tai jamais vu avant!

—Je suis un Dieu, le Dieu Pan. Et j'adore les animaux. Comme tu vois, je suis moitié animal moi-même. La plupart du temps, je suis invisible aux humains; rares sont ceux qui, comme toi, m'ont déjà vu. Tu es un privilégié!»

Antoine, qui se sentait maintenant un peu plus à l'aise, lui demanda: «T'é pas le diable, hein?» L'autre se mit à rire. — «Mais non! Je ne suis pas le diable. Je serais incapable de te faire du mal.» Alors il recommença à jouer sur sa flûte des airs mélodieux et, au même moment, une bande de petits hommes entrèrent dans l'étable, des hommes d'à peu près dix pouces de hauteur qui marchaient à la file indienne, en chantant. C'était des lutins! Sans même sembler remarquer Antoine, ils se mirent à danser une ronde sur les airs que jouait le Dieu Pan. Puis, sans faire d'efforts et avec les gestes d'un automate, Antoine se leva et se mit à danser avec les lutins, comme hypnotisé.

Six heures approchait et l'aube commençait à luire. Antoine serra la main velue du Dieu Pan qui lui promit de revenir. Puis, tout disparut. Quand Antoine se réveilla, le soleil commençait à poindre à l'horizon. Sa fourche était toujours à ses côtés. Les animaux dormaient encore; rien d'anormal ne semblait s'être passé. Antoine regarda autour de lui: rien. Alors il pensa qu'il avait rêvé. Mais était-ce bien un rêve? ou la réalité?

L'Indien, Antoine Carabit

rand, mince, l'allure fière et orgueilleuse comme la plupart des siens: tel était le bel Indien Antoine Carabit. Il avait la tête haute, le nez légèrement arqué et les pommettes saillantes; ses cheveux raides étaient de jais.

Ses parents, qui habitaient la côte du Cap-Breton, traversaient aux Iles-de-la-Madeleine tous les printemps pour y chasser le loup-marin qui abondait sur les côtes. Au cours d'un de leurs nombreux voyages, il s'étaient liés d'amitié avec une famille de LeBlanc des Iles (et quand un Indien se lie d'amitié avec quelqu'un c'est pour la vie). Ces Indiens réalisaient bien que les Blancs fréquentaient l'école pour s'instruire alors qu'eux n'avaient pas cette chance, délaissés et traités comme des bêtes qu'ils étaient par le gouvernement au pouvoir, et limités à leurs réserves. Ils oubliaient cependant qu'ils jouissaient du privilège de vivre en pleine nature sans l'aide de personne. Ils apprenaient par la force des choses à se débrouiller seuls aussi bien en pleine forêt que sur leurs réserves, ce que les Blancs souvent ne pouvaient pas faire. Cette espèce de ressentiment ne les faisait pas moins aimer la compagnie des Blancs dont ils enviaient le savoir qui leur permettait de communiquer plus facilement entre eux. Hélas, il était trop tard pour eux...

Leur fils Antoine, alors âgé de sept ans, était fort intelligent. Ils souhaitaient qu'il aille à l'école des Blancs pour s'instruire. Ils demandèrent donc à leurs amis LeBlanc d'adopter leurs fils, prêts qu'ils étaient à le sacrifier pour un jour le voir instruit. Les LeBlanc acceptèrent; n'était-ce pas un honneur dans le temps d'adopter un petit Indien et de le faire instruire?

Antoine, lui, ne voyait pas les choses de la même façon: pour lui, le geste de ses parents en était un bien cruel puisqu'il le privait de sa liberté. Il dut toutefois se plier à la volonté de ses parents. Au début de son entrée à l'école, il se rebella contre tout ce qui était littéraire, allant même jusqu'à déchirer livres et cahiers qu'il recevait à l'école. Puis, après quelques années, il comprit enfin l'importance de l'instruction et son comportement changea complètement. Il se mit alors sérieusement à l'étude, dévorant des yeux tout ce qui se lisait. À treize ans, devenu presque un homme, il sentit l'appel de la forêt: l'odeur des arbres résineux l'attirait. Il se construisit une pirogue en écorce de bouleau qui abondait aux Iles et traversa le Golfe pour se rendre jusqu'à chez lui, en pleine forêt.

En le voyant arriver, ses parents sautèrent de joie. Alors commença le «pow-wow» qui dura plusieurs jours. D'être allé à l'école des Blancs, Antoine se voyait le plus instruit de la tribu et à la fois respecté de tous les membres. Il servirait donc d'interprète entre les siens et les Blancs lors d'échanges de marchandise. Qui sait si un jour il ne serait pas chef de la tribu? Que la vie était belle pour Antoine Carabit!

Antoine passait la majeure partie de son temps à chasser et à pêcher. Les années passaient. Il prit pour femme une belle «squaw» qui lui donna plusieurs enfants. Un jour qu'il était à la chasse, seul dans les bois, il s'assit sur un tronc d'arbre, las d'une longue marche, et posa son carquois rempli de flèches à ses côtés. Seul avec ses pensées, Antoine revit les belles années passées à l'école des Blancs. Puis, il sortit son couteau de chasse, découpa une longue feuille dans l'écorce d'un bouleau et avec la forme d'un crayon découpé dans le bois pointu il grava les mots d'une chanson mêlée de mots du jargon indien, composée au fur et à mesure qu'il écrivait:

Viens Antoine Carabit
Sur le mont tomahah
Et plus loin que la clabit
Viens Antoine tow, cé, ska, en, ta

Pendant sept ans, j'ai déchiré
Les feuilles de mon livre détesté
Tout en pensant aux bons sauvages
Aux bons sauvages en liberté

Seul, j'ai fait voguer sur l'eau
Ma pirogue toute neuve
Seul, j'ai fait voguer sur l'eau
Ma pirogue de bouleau

J'ai vu un vol de goélands
Planer au-dessus de ma tête
J'ai vu un troupeau de loups-marins
Sur la côte faisant la fête

J'ai vu un soir, au firmament,
Une étoile se décrocher
Me saluer et en passant
Me souhaiter la liberté

Éloigne de moi, wigwam
Mon fusil sur l'épaule
Fumant le bon towanek
Et chassant le bladiowek

Viens, Antoine Carabit
Sur le mont tomahah
Et plus loin que la Clabit
Viens Antoine, tow, cé, ska, en, ta

L'idiot du canton
du Grand-Ruisseau

 auvre martyr de la Sibérie!» disaient, en parlant de lui, ceux qui en avaient pitié; d'autres, moins charitables, se moquaient de lui. Au fond, il n'était pas aussi idiot qu'il en avait l'air. Il n'était pas très beau, certes, et il en était conscient. Deux minuscules yeux noirs enfoncés dans la tête et un nez démesuré déguisait son visage trop mince. Il marchait courbé comme un bossu, les jambes légèrement arquées. Il ne semblait pas trop se soucier de son apparence, du moins ne le laissait-il pas voir.

Devenu orphelin, il vivait chez un oncle qui était bon pour lui. Mais Denis n'avait aucun ami. Personne n'osait l'approcher ou lui parler, de crainte d'être vu en sa présence et de passer pour un idiot. Il passait donc la majeure partie de son temps seul. Si son développement physique laissait à désirer, son esprit, lui, était en continuelle effervescence. Rien ne lui échappait. On ne s'occupait pas de lui, dans le canton, pensant qu'il était fou.

Privé d'amis avec qui échanger, Denis passait de longs moments à rêver: c'était son bonheur à lui. Au fond, sa vie se résumait à peu de choses. Il n'avait jamais travaillé. À peine savait-il lire et écrire. Il était ignorant — car ne le sommes-nous pas des choses que nous ignorons? — sans être moins intelligent pour autant. Il était difforme aussi, soit, mais y était-il pour quelque chose?

Les premiers à le qualifier d'idiot étaient souvent ignorants et stupides eux-mêmes et bourrés de préjugés.

Par beau temps, Denis affectionnait tout particulièrement les promenades dans le bois à Phil où, parmi les arbres, il retrouvait de vrais amis à qui se confier sans être ridiculisé. Il parlait aux arbres comme s'ils eussent été des êtres chers. Parmi eux se trouvait un grand sapin vert, tout branchu, à l'allure imposante: c'était le préféré de Denis.

Saül à Éli, un voisin, qui surveillait les allées et venues du garçonnet depuis plusieurs semaines, se demandait ce qu'il pouvait bien aller faire dans ce bois-là. Un beau jour, il décide de le suivre, en évitant d'être vu. Denis sortit de chez lui sur le coup de midi. Saül le suivit à distance. Comme les autres jours, le garçon traversa le chemin du Grand'Ruisseau, passa à travers le pré à Vilbon pour entrer dans le bois à Phil. Saül, par derrière, se cachait d'arbre en arbre. Arrivé près d'un gros sapin, Denis s'asseoit et se met à siffler avec ses deux doigts. Saül vit alors des choses fantastiques; il en avait le souffle coupé de surprise.

Le bois à Phil, comme par magie, devint inondé de lumière dont on ne pouvait deviner la source. Puis, des centaines de petits hommes de dix pouces environ de hauteur — des lutins sans doute — sortirent de nulle part et entourèrent Denis en formant une ronde. Saül les regardait, fasciné. Il se pinça un bras pour voir s'il ne rêvait pas. C'était bien réel! Denis, le visage souriant, leur parlait dans un langage incompréhensible à Saül. Lui qui d'habitude riait des histoires de lutins que lui racontaient des amis, il fallait bien y croire maintenant puisqu'ils étaient là, devant lui. Qui eut pu imaginer que l'idiot du canton du Grand-Ruisseau avait le pouvoir de les attirer?

«Godême! se disait-il tout bas, c'est incroyable!
Les autres riraient de moi si je leur racontais ça. Y
me croiraient pas. J'su mieux de boucher ma gou-
le...»

Denis échangeait toujours des propos avec les
lutins qui en même temps dansaient joyeusement
autour de lui. L'idiot possédait-il des pouvoirs
extraordinaires dont les autres — supposément
sains d'esprit — étaient privés?

Depuis plus de deux heures déjà, Saül les
observait. Tout à coup, Denis et les lutins
disparurent en même temps que la lumière qui les
illuminait. Dans le bois, c'était maintenant
l'obscurité. À tâtons, Saül en sortit en hâte et, à
l'orée du bois, la lumière se fit; celle du plein jour.

Sur le chemin du retour il se garda bien de
parler de cette expérience aux gens qu'il
rencontrait. Il garda ce lourd secret pour lui-
même. Il ne put fermer l'oeil pendant plusieurs
nuits. Cette aventure l'avait bouleversé.

Quant à Denis l'idiot du canton, il ne revint
pas. On le chercha en vain partout. Saül lui-même
prit part aux recherches sans rien laisser voir.
Dans son for intérieur, il savait maintenant que
ce pauvre «martyr de la Sibérie» était heureux où
qu'il se trouvait, qu'il était libéré: libéré des
moqueries des jeunes; libéré des préjugés des
plus âgés. Il était désormais avec de vrais amis:
les lutins.

L'odyssée des chasseurs de loups-marins

e soleil commençait à poindre à l'horizon. Il était à peine cinq heures; pour Alpide, c'était l'heure de se lever. A-près s'être habillé, il réveilla son escouade et tous partirent à la chasse aux loups-marins. Le vent était favorable et le soleil brillait; la chasse s'annonçait bonne. D'autant plus que la veille, une mouvée considérable avait été aperçue au large de l'Étang-des Caps.

Pendant plusieurs mois, on avait travaillé sans relâche pour se gréer. Gaffes, grapins, canotte à glace, tout était prêt ce matin-là pour la grande aventure. On était à la mi-mars et, depuis le commencement du mois, chacun avait son permis de chasse. Mais le temps n'était pas favorable, de sorte qu'on avait dû attendre avec impatience le retour du beau temps. Le moment était enfin arrivé. On espérait que le petit suroît des jours derniers ait poussé les loups-marins un peu plus proche de terre; ainsi, on n'aurait pas à marcher trop loin.

On se voyait déjà riche de plusieurs centaines de piastres. Mais cet argent-là était dépensé d'avance pour payer des dettes accumulées. Si seulement, se disait-on, on pouvait avoir son industrie à soi, on serait beaucoup plus motivé et encouragé. Finalement, on avait l'impression de travailler comme des fous pour enrichir des étrangers. Mais on revenait vite à la réalité en se disant que ça ne donnait rien de rêver...

L'escouade, avec Alpide pour chef, était composée de sept hommes. Tout l'équipement était transporté dans le canotte à glace, sauf les grappins que chacun portait à ses bottes. Le soleil était déjà haut dans le ciel. La neige dure crissait sous le poids du canotte. On passa le débarrit sans difficulté et, trois milles plus loin, on dépassa un deuxième amoncellement de glaces. Toujours pas de loups-marins. Cependant, au loin, des cris se faisaient entendre. Le sang commençait à bouillir dans les veines des chasseurs; on apercevait enfin ce que tout chasseur souhaite voir au moins une fois dans sa vie: «la grande mouvée», c'est-à-dire des milliers et des milliers de loups-marins sur la glace. Malgré leur grande fatigue, ils commencèrent leur chasse avec en tête une seule idée: tuer autant de loups-marins qu'ils pouvaient en emporter.

Après avoir chassé toute la journée, on chargea jusqu'au bord la canotte de toutes ces belles peu et manger quelques tourteaux doux accompagnés d'une bouteille de thé. Après ce frugal repas, on rebroussa chemin en tirant le canotte à glace chargé du précieux butin. Même s'il était très lourd, ce n'était rien pour ces hommes vigoureux.

Une demi-heure après leur départ, le vent vira à l'ouest et, presque aussitôt, de gros flocons de neige se mirent à tomber. Puis la force du vent augmenta, et on entendit au loin le bruit des glaces qui s'entrechoquaient. On avançait toujours malgré la fatigue; par moments, un des hommes trébuchait, s'écorchant le genou et poussant un juron familier aux Madelinots: «Godême!»

Enfin, la visibilité devint nulle. Malgré le froid qui augmentait, on continuait à avancer sans savoir où on allait. À plusieurs reprises, on dut mettre le canotte à l'eau pour traverser des saignées. De temps en temps, Alpide avait un mot d'encouragement pour ses hommes. La neige, cette neige du mois de mars qui colle aux vêtements, les faisait ressembler plus à des fantômes qu'à des êtres humains. Les moins persévérants, se croyant perdus à tout jamais, commencèrent à réciter des prières à haute voix, incitant les autres à répéter en choeur.

Plus de cinq heures s'étaient écoulées depuis qu'on avait laissé la mouvée. On marchait toujours à l'aveuglette, sans espoir de revenir vivant. Seul Alpide, le chef, espérait encore et à l'occasion encourageait les autres. Déjà, on avait les pieds presque gelés et les articulations des mains jouaient plus difficilement. La faim les tiraillait. Soudain, Lionel, le plus jeune du groupe, poussa un cri: «Hé! j'vois comme un ombrage en face de nous; on dirait un bateau.» Les autres ne voyaient rien. Alpide se dit en lui-même: «Le pauvre diable, il commence à avoir des hallucinations.» Or, plus on approchait, plus on se rendait compte que ce n'étaient pas des hallucinations, mais en fait le rocher du Corps-Morts. Ils le reconnurent tout de suite. Ils étaient sauvés; sachant maintenant où ils étaient, ils n'avaient plus qu'à attendre une acalmie. Il ne leur manquait plus qu'un abri. Arrivés au Corps-Mort, ils virent un peu plus loin, au pied de la falaise, une ancienne cabane de chasseurs. Dedans, il y avait un poêle et du bois. On prépara un bon feu pour faire cuire du petit maigre de loup-marin et l'on mangea à sa faim. Après le souper, tous tombèrent endormis dans la bonne chaleur du poêle; seul Alpide resta éveillé pour entretenir le feu.

Dehors, le vent avait cessé de souffler. La neige ne tombait plus et la lune éclairait le rocher. Tout était calme: on n'entendait que les ronflements des hommes endormis. Tout à coup, une roche énorme qui s'était détachée du haut de la falaise vint s'écraser sur le toit de la cabane, le défonça et tomba sur le poêle. En l'espace de quelques minutes, le feu s'étendit à toute la cabane. Heureusement, tous les chasseurs purent sortir sans la moindre égratignure.

Pendant ce temps, à l'Étang-du Nord, le grand Paul, qui s'apprêtait à se coucher, jeta un dernier coup d'oeil par la fenêtre. Il aperçut le feu au Corps-Mort. Toute de suite, il pensa aux chasseurs partis depuis le matin et de qui on n'avait plus de nouvelles. Il s'habilla, courut rassembler les voisins et organisa une équipe de secours. Les chasseurs de loups-marins étaient enfin sauvés!

Alpide se faisait un orgueil d'avoir pu résister à pareille tempête et d'avoir ramené son escouade saine et sauve, avec tout son équipement. Longtemps après, on parlait encore de l'odyssée des chasseurs de loups-marins.

Les exilés volontaires

orcés par les Anglais d'abandonner leurs terres riches d'Acadie et renvoyés en France, les victimes du Grand Dérangement ne trouvaient pas la vie facile à Saint-Malo. La France connaissait alors de hausses de prix des denrées et des taxes. Des rumeurs de révolution générale circulaient dans le pays: on ne savait ni où ni quand elle commencerait mais on la devinait inévitable.

À Saint-Malo, comme dans les villes environnantes, on s'inquiétait. Certains hommes qui s'étaient prononcés contre la royauté disparaissaient mystérieusement, sans laisser de trace, sans qu'on n'ait jamais plus de nouvelles d'eux. Assassinés? Peut-être. Une chose dont on était sûr, c'est que la police du roi en arrêtait plusieurs sans raison sérieuse.

Dans la famille de Guillaume Harvie, on était tous marins et propriétaires d'un bateau à voiles — une goélette dont on était très fier. Conscients de la situation inquiétante dans laquelle se trouvait la France, les Harvie décidèrent un beau jour d'émigrer outre-atlantique, plus précisément aux îles Saint-Pierre et Miquelon.

La traversée fut longue et périlleuse. Enfin, au mois de juillet, ils arrivèrent sur ces îles rocheuses et dénudées d'arbres. Là, au moins, ils étaient épargnés en advenant le cas d'une révolution en France et, en même temps, ils étaient plus près du

Canada où ils pourraient se réfugier au besoin. Mais la révolution n'était pas encore là et en attendant il fallait s'accommoder de la vie à Saint-Pierre, où ils réussissaient à vivoter de la pêche.

Les bateaux de la grande flotte de pêche qui venaient s'approvisionner à Saint-Pierre apportaient des nouvelles pas très rassurantes de la mère-patrie. On parlait de tortures que les prisonniers subissaient dans des prisons infestées de rats. Guillaume et les siens en avaient assez de vivre dans l'inquiétude. Ils souhaitaient fuir le régime royaliste français pour enfin vivre en paix. Mais comment y arriver?

Guillaume avait entendu dire que les Iles-de-la-Madeleine qui appartenaient alors à un seigneur anglais était l'endroit rêvé où vivre tranquille sans être dérangé. Le poisson y était abondant autour de ces îles et les côtes abondaient de vaches marines et de loups-marins faciles à chasser. Elles étaient peuplées par une poignée d'Acadiens — des rescapés de la déportation de 1755 — qui y vivaient heureux. Les terres étaient très fertiles: on pouvait y faire pousser à peu près n'importe quoi.

Guillaume n'écartait pas l'idée d'y aller un jour avec ses huit enfants. Il ne voulait surtout pas que ses cinq garçon servissent de chair à canons dans le cas d'une révolution générale. On était en 1787. Deux ans déjà s'étaient écoulés depuis le départ de Saint-Malo de Guillaume et sa famille. Ils avaient quitté Saint-Malo sans trop de regret mais ils n'avaient pas pris racines à Saint-Pierre et Miquelon qui n'était qu'une étape dans leur voyage qui finalement les conduirait aux Iles-de-la-Madeleine.

La préparation du voyage avait duré deux longs mois: il fallait prévoir suffisamment de nourriture pour passer une saison de même que les graines de semence et les patates nécessaires pour mettre en terre en prévision de la récolte automnale à venir. Fin avril. Tout était prêt: la petite goélette de quarante tonneaux appareillait pour les Iles-de-la-Madeleine par un temps calme, trop calme peut-être car le vent soufflait à peine dans les voiles. Il fallut trente heures avant d'apercevoir au loin la belle île Brion, toute boisée, dans ses teintes printanières. On contourna Brion pour continuer vers la Grosse-Ile. Puis on rondit la pointe de la Grande-Entrée. Le temps calme persistait. Quand enfin ils entrèrent dans la Baie de Plaisance, c'était comme un paradis pour leurs yeux: des collines vertes boisées, des millions de poissons qui bouillonnaient à la surface de la mer, des troupeaux de vaches marines et des mouvées de loups-marins se chauffant au soleil sur les galets.

François, l'aîné des fils de Guillaume, qui était perché au haut du grand mât, lança à son père: «Je vois une autre baie qui ressemble à un lac avec un petit détroit...» Mais la marée était basse et les hauts fonds de sable étaient visibles à plusieurs endroits. On jeta l'ancre à l'entrée du détroit et l'on attendit que la marée monte. Quelques heures plus tard, ils entraient dans la baie. Le courant y était très fort. Juste à l'entrée de la baie,une petite île, l'Ile Rouge, que l'on contourna pour continuer jusqu'au fond de la baie, où ils aperçurent un ruisseau qui coulait des buttes pour se jeter dans la baie. Ils jetèrent l'ancre à son embouchure. Guillaume et ses fils mirent pied à terre pour explorer les environs: tantôt des agglomérations d'arbres, tantôt des clairières où cultiver. Ils longèrent le ruisseau sur plusieurs milliers de pieds puis Guillaume choisit une grosse roche sur le bord pour s'asseoir et il dit à ses fils: «On ne va pas plus loin; c'est ici que nous bâtirons notre maison. Il y a de l'eau fraîche, des truites, des éperlans et des anguilles à portée de la main...»

Ils retournèrent au bateau et y débarquèrent tout leur chargement, jusqu'à une jeune vache, un boeuf et des moutons. À l'endroit choisi, ils dressèrent des tentes faites de voiles de bateau et les habitèrent le reste de la saison; puis ils commencèrent la construction de leurs maisons, après avoir tout d'abord semé les grains, planté les patates dans cette terre fertile pour y récolter dès l'automne suivant de quoi se nourrir durant les mois d'hiver.

Guillaume et sa famille s'établirent définitivement aux Iles. Jamais ils ne regrettèrent d'avoir quitté la France. Et, depuis ce temps lointain de cette année de grâce de 1788, tous les descendants de Guillaume Harvie ont vécu dans ce canton que l'on appelle aujourd'hui encore le canton de Grand-Ruisseau.

Bertha la Puce

n l'appelait «la Puce». Personne n'a jamais su pourquoi. Elle était connue dans le canton du Grand-Ruisseau pour être une femme étrange qui possédait des dons surnaturels. Elle était jolie, grassette, avec de beaux grands yeux bleus et des cheveux blonds.

Elle avait un rire franc et honnête comme on en entend rarement et elle souriait tout le temps. Parfois, on la voyait marcher seule dans le chemin, se parlant à elle même et faisant de grands gestes comme si elle avait eu quelqu'un à ses côtés. On l'entendait même rire aux éclats à ces moments-là.

Bien des gens prétendaient qu'elle était folle. Pourtant, elle avait une imagination fébrile, ce qu'on ne pouvait pas dire de tous ceux qui l'entouraient. Certains allaient même jusqu'à l'éviter à l'occasion, mais elle s'en fichait bien.

Elle vivait seule, son mari étant mort depuis longtemps dans un accident de chasse. Elle n'avait pas eu d'enfants. Sans être riche, elle possédait une maison, une étable, quelques animaux et un petit lopin de terre qu'elle cultivait pour se nourrir.

Le soir, les jeunes du canton allaient chez elle pour se faire tirer aux cartes et, aussi surprenant que cela puisse paraître, elle leur prédisait le plus souvent des choses qui arrivaient. Les vieux, eux, n'osaient s'approcher de la maison. Ils avaient peur d'elle; ils la croyaient ensorcelée et étaient persuadés qu'elle parlait au diable. Quant aux jeunes, ils la respectaient.

C'était une de ces femmes sans âge, qui peuvent avoir cinquante ans tout aussi bien que trente. On disait aussi qu'elle était amie des fées et des lutins. Souvent, le soir, quand on passait devant son étable sur le chemin du Grand-Ruisseau, on entendait la Puce qui parlait avec quelqu'un. C'était mystérieux. On distinguait très bien sa voix, alors que celle des autres était comme un murmure à peine perceptible. Des fois, on attendait des heures avant que la Puce sorte de l'étable; on supposait alors que quelque jeune du canton la courtisait. Mais pourquoi à l'étable et non pas à la maison? se disait-on. Enfin, on la voyait sortir, le visage radieux et disant: «Au revoir! et à la nuit prochaine, à minuit tapant!» Puis le silence retombait sur l'étable de Bertha la Puce.

Parfois, en plein été, alors qu'il faisait une chaleur suffocante, elle s'habillait d'une manière bizarre: elle portait de grandes bottes de pêcheur qui lui montaient jusqu'aux hanches et un manteau en tissu épais. La sueur coulait sur son visage.

Un beau jour, le grand Todore — le plus moqueur du canton — la rencontre dans le chemin entre les deux buttes, alors qu'elle revenait de Cap-aux-Meules avec les bras chargés de provisions. Il la regarde d'un air moqueur et lui dit en souriant «Où c'est qu'tu vas, La Puce, habillée comme ça? Vas-tu à la pêche?

—Mon grand fou, toa! fit-elle. T'es mieux d'arrêter de te moquer. Tiens! j'te souhaite que ce soir même tu tombes dans un trou d'eau et que tu te noies.»

Todore, indifférent au sort qu'elle venait de lui jeter, poursuivit sa route en riant. Le soir venu, l'idée lui vient d'aller jouer un tour à la Puce. Il sort de chez lui et descend la butte en traversant le chemin. Arrivé à une centaine de pieds de la maison, il tombe dans un trou (un vieux puits désaffecté où l'eau s'accumulait toujours). Il a de l'eau jusqu'à la ceinture, et soudain il pensa à ce que la Puce lui avait prédit dans la journée. Prenant peur, il se met à crier: «La Puce, sauve moa! par pitié! La Puce sauve moa!» C'est alors que la Puce, entendant ces cris, se dirige vers le puits, au fond duquel elle aperçoit Todore qui se débat dans l'eau. Elle se met à rire et lui dit: «J'sais pas ce qui me r'tient de te laisser mourir là.

—Pour l'amour du bon Dieu, la Puce, sors-moa d'ici et j'te promets de ne jamais plus me moquer de toa.

—Espère une seconde, dit-elle, j'vas hucher à mes lutins qu'ils me donnent un coup de main... Jacques, Claude, Victor, venez vite ici! Le grand Todore est au fond du puits.»

Tout à coup, il aperçoit trois petites têtes d'hommes avec de grandes barbes, qui se penchent sur le puits et lui disent: «On va t'apporter une amarre; poigne-toa dessus!» Il s'agrippe d'une poigne solide à l'amarre qu'ils lui tendent et, les deux pieds sur les parois du puits, réussit à se hisser jusqu'à la surface. Il était sauvé. Il eut tout juste le temps de voir les trois petits lutins disparaître. Il dit alors à la Puce: «T'es bien bonne de m'avoir sauvé la vie. Mais tes lutins, où c'est qu'ils sont? Je voudrais les remercier.

—Mes lutins, dit-elle, ils sont disparus et tu ne les verras plus!»

Trempé jusqu'aux os,la mine basse, il s'en retourna chez lui. Chemin faisant, il entendit soudain sa propre voix qui venait d'en arrière de la butte du Marconi et qui disait: «La Puce, sauve-moa! la Puce, sauve-moa!...

Le gardien de boucanerie

ous s'accordaient à dire que Gildas était le meilleur gardien de boucaneries des Iles. Son travail se résumait à l'entretien des feux qui boucanaient le hareng. Les boucaneries d'alors étaient des bâtisses de bois, sans division à l'intérieur et sans plancher. C'est donc sur la terre qu'on entretenait les feux avec du bouleau. Le hareng, enfilé sur des baguettes qui étaient soutenues par des soliveaux, recevaient directement la fumée montante et prenait ainsi quelques mois pour être boucané à point.

Il fallait une bonne santé et être costaud pour travailler dans des boucaneries pendant trois mois que durait la saison d'enfumage. Gildas était l'homme désiré. Il ne craignait pas l'effort ni les longues heures d'affilée. On le voyait souvent quitter les boucaneries les yeux rougis par la boucane du bois de bouleau. Ce travail de gardien de boucaneries ne semblait toutefois pas trop harassant pour lui puisqu'on le voyait toujours joyeux avec un large sourire édenté. Pourtant, il lui fallait transporter des brassées de bois de corde. Gildas était philosophe à sa manière: il prenait la vie du bon côté. «Pourquoi s'en faire? disait-il. On a rien qu'une vie à vivre.» La boucane du bois de corde brûlé n'était certes pas néfaste pour la santé puisqu'il n'avait jamais eu un rhume ou une grippe.

Il y avait, à Cap-aux-Meules, trois boucaneries imposantes avec, dans chacune d'elles, plus de vingt feux qu'il fallait entretenir jour et nuit pour que le hareng soit boucané à point et prêt pour l'empaquetage, à la fin du mois d'août.

À proximité des boucaneries se trouvait une petite cabane avec, à l'intérieur, un poêle et une table où Gildas venait s'assoir pour manger son goûter. C'était en même temps le lieu des rendez-vous des jeunes qui, le soir venu, venaient saluer le vieux Gildas et lui raconter des histoires trop souvent farfelues.

Un jour, alors qu'il transportait une brassée de bois de corde devant servir à alimenter les feux, Gildas trébucha. Il échappa un gros morceau de bois sur son pied qui lui brisa l'os. Il sentit une douleur aigüe qui le fit se rendre à la cabane en sautant sur un seul pied, frottant de la main le pied blessé et grimaçant de douleur. On le reconduisit aussitôt chez lui dans une charrette. Durant ce temps, quelqu'un d'autre prit la relève aux boucaneries. Mais quelle différence entre cet apprenti et notre gardien expert; seul Gildas connaissait la vraie manière de croiser les bûches pour qu'elles donnent un rendement efficace et produisent une boucane maximale pour l'obtention d'un hareng doré.

Ce n'est que l'année suivante que Gildas reprit son travail à la boucanerie. Un soir, alors qu'il était occupé à entretenir les feux, il réalisa que ceux-ci diminuaient. Pourtant, le bois qu'il avait utilisé était bien sec. Il ne pouvait pas voir quelle en était la cause. Il alla d'un feu à l'autre, examinant soigneusement la flamme; tout semblait en ordre. Cependant, les feux diminuaient toujours. Au même moment, son regard se dirigea vers un coin de la boucanerie où il crut voir, à la lueur des feux, des ombres qui se déplaçaient pour disparaître à la fin. Gildas ne s'y arrêta pas. Il revint à ses feux et constata, non sans satisfaction, qu'ils avaient repris leur allure normale. Il sortit, en prenant soin de bien fermer la porte derrière lui et, las, se dirigea vers la cabane pour y dormir quelques heures. Après trois heures de sommeil, il se réveilla. L'horloge indiquait quatre heures: le jour se levait à peine. Mi-réveillé mi-endormi, il retourna vérifier les feux. Quelle ne fut pas sa surprise, en ouvrant la porte, d'apercevoir une bande de petits hommes, pas plus hauts que ses bottes, qui couraient d'un feu à l'autre avec de petites chaudières d'eau. Il ne put se retenir de leur hucher: «Ah, mes Godême! Voulez-vous bien me dire quoi cé que vous faites là? Allez-vous-en d'ici!»

Enfin, il se ressaisit, puis il se dit en lui-même: «Cé t'y bien ça, des lutins?» Lui qui avait raconté tant d'histoires sur les lutins sans y croire, il était pris à son propre jeu.

Pendant ce temps, les petits êtres étranges avaient tous disparu. Gildas se frotta les yeux dans un geste répété pour s'assurer qu'ils n'y étaient plus. Il vit seulement les feux plus ardents et plus vifs qu'à l'ordinaire. Sur son visage se dessina alors un sourire de satisfaction.

La légende du cheval blanc

u printemps de 1720, l'équipage de plusieurs bâtiments accostés à La Rochelle était occupé à charger des provisions et des marchandises, principalement du blé acheté des paysans de la campagne environnante pour la Nouvelle-France. Ce grain devait servir de monnaie d'échange contre des peaux de castors qu'on trouvait en abondance en Nouvelle-France et qui valaient très cher en Europe.

Le jour du départ, un dimanche après la messe, on fit ses adieux aux parents et aux amis, pour ensuite recevoir la bénédiction du curé accompagnée de souhaits de bonne chance et de bon retour à l'automne suivant.

Au départ de La Rochelle, la mer était très calme. On pouvait voir au loin un troupeau de baleines descendant du nord pour aller mettre bas leurs petits dans le sud de l'océan Indien. Un bon petit suroît gonflait les voiles. Parmi les passagers figuraient entre autres des missionnaires et des négociants qui venaient de France et d'Italie pour échanger de menus articles de fantaisie contre des peaux de bêtes sauvages. Chacun de ces négociants rêvait de faire fortune à son retour en Europe.

Tout le monde était joyeux à bord, même si la traversée s'annonçait longue et dure. Il y avait beaucoup de talents parmi eux: chacun y allait de ses chansons ou jouait de la musique; d'autres dansaient, chaussés de sabots de bois à la mode du pays.

La traversée se fit sans incident. C'était au commencement d'avril, le mois le plus brumeux de l'année dans le nord de l'Atlantique. Quand on arriva au large des bancs de Terre-Neuve, la brume était épaisse, au point qu'on voyait à peine à dix pieds en avant du bateau. On fit baisser les voiles pour diminuer la vitesse du navire. Des heures durant, on navigua à l'aveuglette, et quand la brume se dissipa l'on vit au loin les goélettes des pêcheurs basques qui pêchaient la morue sur les bancs de Terre-Neuve. À l'entrée du détroit de Cabot, on vit une terre ou plutôt des îles; puis, on contourna la côte et on descendit vers le sud. Soudain, de bonne heure le matin, le capitaine entendit un cri qui venait du haut du grand mât: «Cheval blanc à babord!» Il bondit hors de sa cabine en se disant: «Comment, un cheval blanc en pleine mer? Impossible!» Il grimpa à son tour en haut du mât et vit à la surface de la mer une tache blanche qui avait la forme d'un dos de cheval. Il s'aperçut vite que ce cheval blanc était des plus dangereux: c'étaient des rochers à fleur d'eau où la vague venait se briser pour ensuite les recouvrir d'une écume blanche.

Voilà comment les rochers, à quelques milles de la côte de l'Étang-du-Nord, furent nommés les rochers du Cheval blanc.

Pascal le bâtisseur

ascal pouvait faire n'importe quoi de ses deux mains. Au dire des voisins, son travail n'était cependant pas toujours parfait. Ce genre de travail occupait une grande place dans sa vie. Très actif, fort travaillant et toujours d'humeur égale, il s'affairait du matin jusqu'au soir avec son marteau et son égoïne, se construisant une charrette ou réparant sa grange et sa maison.

Il était aussi très serviable envers ses voisins, qui sollicitaient souvent son aide. Un jour, l'un d'entre eux vint lui demander de construire la cheminée de sa maison neuve. Outils en mains, il monte sur le toit et commence le travail. Au bout de plusieurs jours, une fois la cheminée terminée, il la regarde d'en bas et constate qu'il l'a bâtie toute croche. Il n'en souffla mot à peronne. Le lendemain matin, son voisin vint voir le travail. Quand il aperçut la cheminée, il devint rouge de colère et alla aussitôt trouver Pascal. «Écoute, mon vieux, lui dit-il, le travail que tu viens de faire est bon à rien. Viens défaire la cheminée et remonte-la comme il faut.» Pascal le regarda, un peu ennuyé, puis une idée lui vint à l'esprit. «Ta cheminée, lui fit-il remarquer, est croche parce que j'ai voulu la faire croche! Tu sais, quand la boucane sort d'une cheminée et qu'il vente un peu, elle aussi devient croche. J'ai donc voulu, en mettant la cheminée croche, que la boucane sorte croche du poêle. Tu verras, ça sera beaucoup mieux.»

La réponse de Pascal avait probablement satisfait son voisin, puisqu'il n'est plus revenu à la charge.

Une autre fois, son beau-frère Jean-Louis lui demanda s'il accepterait de lui bâtir un bateau de pêche,qu'il lui paierait avec les patates qu'il prévoyait récolter en abondance à l'automne. «D'accord, dit-il; pour deux cents sacs de patates, je fais ton bateau.» Marché conclu, il commence la construction du bateau à côté de sa grange.

Tous les soirs, après la pêche, il y travaillait jusqu'à minuit. Certains voisins venaient parfois le voir travailler mais lui offraient rarement un coup de main. Après plusieurs mois de dur labeur, le bateau fut terminé. On le transporta alors jusqu'à la côte et on le mit à l'eau. On fit démarrer le moteur. Tout semblait fonctionner normalement, jusqu'à ce qu'on réalise qu'il était impossible de le diriger. On se demanda ce qui pouvait bien manquer. Alors que le bateau était rendu au large, on finit par s'apercevoir que le gouvernail manquait. C'est de peine et de misère que les deux hommes de l'équipage revinrent à la côte.

Travaillant souvent pour les autres, Pascal se dit un beau jour: «Ah bé, Godême! ça fait assez longtemps que je pense aux autres, il est temps que je commence à travailler pour moa.» Son bateau de pêche était vieux, et il commençait à prendre l'eau. Il fallait songer à en construire un neuf avant qu'un accident ne se produise. Sa décision prise, il se prépara à bâtir son bateau neuf. Comme l'automne était déjà avancé et qu'il commençait à neiger, il était impossible de le construire à l'extérieur. Pascal décida donc de la bâtir à l'intérieur, soit dans le salon de sa propre maison. Tout l'hiver, il scia, rabota, cloua, travailla comme un forcené pour finir avant que la saison de pêche ne commence. Le bateau terminé, il le peintura en blanc.

Tous ses amis qui venaient le voir travailler lui disaient: «Pascal, t'as un maudit beau bateau mais il y a quelque chose qui manque... On peut pas dire au juste quoi que c'est.» Il répondait: «Y a rien qui manque, tout y est! Ça fait assez longtemps que je travaille après.»

Quand vint le temps de le sortir de la maison, il s'aperçut, trop tard hélas! que la porte de la maison était trop petite pour laisser passer le bateau. Il fallut démolir un mur pour le sortir.

Les petits lutins

odore avait un cheval, le plus beau et le plus rapide du Grand - Ruisseau. On ne voyait que très rarement Todore le soigner, et pourtant son cheval n'en était pas moins gros et son poils moins lisse et reluisant. Ce qui frappait et étonnait le plus les gens, c'étaient ses crins qui étaient toujours bien tressés. Ah! il avait une bonne mine ce cheval. Quand on demandait à Todore: «Quoi c'est que tu fais à ton cheval pour qu'il soit si beau et si fringant, toi qu'on voit jamais en prendre soin?» il répondait: «J'ai des petits amis qui en prennent soin pour moa.» On riait alors et on se moquait de lui. Il restait tout de même que c'était mystérieux.

Un jour, son ami Avila vient le voir et lui demande: «Dis-moi donc, Todore, comment ça se fait que ton cheval soit si beau. Quoi c'est que tu y fais?

— Écoute, Avila, dit-il, t'as entendu parler des lutins qui soignent les animaux?...

—Oui, répond Avila, j'en ai déjà entendu parler; mais je n'y crois pas, à tes lutins. Tu veux tout de même pas me dire que c'est eux qui soignent ton cheval? Me prends-tu pour un fou?

—Bon, Avila, choque-toa pas; j'te disais rien que la vérité. T'es pas obligé de me croire.»

Avila s'en retourna chez lui sans croire à toutes ces histoires de lutins. Plusieurs jours plus tard, il revient voir Todore et lui dit: «Écoute, j'ai un secret à te dire. Mais surtout, pas un mot à personne! Tu sais, tes histoires de lutins, j'y crois. J't'avais jamais cru avant. Je pensais que tu m'contais des menteries. Mais hier soir il m'est arrivé toute une aventure. Je m'en allais faire mon train d'étable comme d'habitude. Arrivé à moitié chemin, j'entends un brouhaha qui venait de l'étable, comme des gens qui riaient et chantaient. J'm'approche tranquillement, sans faire de bruit, j'ouvre la porte de l'étable et quoi que c'est que j'aperçois, dans un rayon de clair de lune? Un gang de petits hommes mesurant à peine dix pouces de haut, en train de brosser et de tresser les crins de mon cheval. Ils chantaient dans un langage que je ne comprenais pas. Tu parles d'une surprise! J'me d'mandais d'où c'est qu'ils venaient. Peut-être une hallucination? Pourtant, j'avais pas pris un coup. J'les ai examinés pendant une bonne demi-heure, et je m'suis aperçu que c'était pas une hallucination mais la réalité. Tout d'un coup, mon chien surgit, m'passe entre les jambes et commence à japper après eux. Ils se sauvent dans toutes les directions pour disparaître complètement, j'ignore où. Tu sais, continua-t-il, que j'ai jamais cru aux histoires de lutins que tu me contais. Tu sais aussi que tout le monde te prend pour un maudit menteur. J'aimerais pas qu'on dise la même chose de moa. Mais, depuis mon aventure d'hier soir, je sais que tu disais la vérité. Si ces lutins-là veulent prendre soin de mes animaux, tu penses bien que je vais les laisser faire. Je sens qu'avec des serviteurs comme eux, j'vais vivre à l'aise: pas besoin de les nourrir, pas besoin de les payer, ni de les habiller. J'vais essayer de m'en faire des amis et de savoir d'où c'est qu'ils viennent. Pour moa, ça reste un mystère. Ils arrivent comme ça, de nulle part, sans avertir personne. J'me demande bien s'ils parlent notre langue...»

Le lendemain soir, Avila retourna à son étable vers minuit. Il entra sans bruit et vit encore des dizaines de ces petits hommes en train de soigner le cheval. Il redoubla de prudence pour ne pas les apeurer. Puis, debout au milieu de la porte, il leur dit doucement: «D'où c'est que vous venez?» Les lutins le regardèrent et répétèrent en écho, d'une voix rauque: «D'où c'est que vous venez?» Il leur posa à nouveau la question à laquelle ils répondirent la même chose. Il leur dit alors: «Si vous n'voulez pas me répondre, je ne vous parlerai plus.» Cependant, Avila ne les avait pas effrayés, puisqu'ils ne s'étaient pas enfuis. Peut-être pourrait-il, avec un peu de patience, devenir leur ami. Il le souhaitait ardemment.

Il sortit de l'étable tout doucement, laissant les lutins soigner le cheval. Sur le chemin du retour, il réfléchit tout haut: «Mais d'où c'est qu'ils peuvent bien venir? C'est sûrement pas des petits diables parce qu'ils me feraient plus de tort que de bien; c'est pas non plus des anges parce qu'ils n'ont pas d'ailes. D'où c'est que ça peut bien venir? Ah! et puis je m'en moque pas mal; pourvu qu'ils prennent soin de mes animaux, c'est le principal.»

Deux jours plus tard, on n'avait pas revu Avila. Où pouvait-il bien être allé? Sa femme s'inquiéta, elle questionna les voisins. on fouilla le canton de Grand-Ruisseau de fond en comble, partout, dans les sous-bois et jusqu'au bord de la mer. Toujours pas d'Avila! On ne trouva aucune trace de lui par la suite. Ni même son cadavre, rien! Où était-il? Personne ne pouvait le dire. On a prétendu que les lutins l'avaient enlevé et l'avaient emporté dans leur royaume, lui qui voulait être leur ami.

Depuis ce temps, quand on passe dans le chemin du Grand-Ruisseau, près de l'étable d'Avila, on entend des voix qui murmurent: «D'où c'est que vous venez? D'où c'est que vous venez?»

L'église sortie d'un naufrage

es habitants de l'île de Havre-aux-Maisons possédaient une très belle église en bordure de la mer. Ce sont ces mêmes habitants, pauvres pour la plupart, qui l'avaient bâtie de peine et de misère, chacun y ayant donné une ou deux journées de travail bénévole par semaine. C'était, à l'époque, la seule église existante entre le Havre-Aubert et la Grande-Entrée. Quant aux habitants de l'Étang-du-Nord, ils n'avaient pas encore leur église, et ils étaient forcés, pour pratiquer leur religion, de se rendre à l'église de Havre-aux-Maisons tous les dimanches par beau temps ou mauvais temps. Pour ceux qui partaient de la côte de l'Étang-du-Nord, la distance à parcourir dépassait les cinq milles. À ce moment-là, il n'existait pas de pont reliant l'île de Cap-aux-Meules à celle de Havre-aux-Maisons. L'été, les gens devaient traverser sur une gabare ne pouvant transporter que quelques passagers à la fois. L'hiver, c'était un peu plus facile à cause de la baie qui gelait d'un bord à l'autre; on la traversait à cheval, sur la glace, et des fois, en revenant de la messe, on en profitait pour courser.

Plus la population de l'Étang-du-Nord augmentait plus ses habitants voulaient leur église bien à eux. Mais ils étaient conscients que le coût d'un projet semblable dépassait de beaucoup leur avoir. De plus, il n'y avait plus assez de bois sur les Iles pour bâtir une bâtisse imposante. C'est pourquoi les chefs de file du canton décidèrent un bon jour de rassembler le plus grand nombre de personnes dans la petite maison d'école située sur la butte du Cap-aux-Meules, afin de trouver une solution intéressante. Plus de deux cents personnes répondirent à l'invitation. Le sujet était des plus importants: il s'agissait de la construction de leur propre église. Même si c'était le jour des Rois ce soir-là, personne ne pensait à fêter. Devant la foule transie, le chef du groupe, Louis Boudreau, homme de fine taille, harangua la foule une heure durant, appuyant sur l'importance d'avoir une paroisse distincte. Il insista ensuite pour avoir l'appui de chacun pour le travail à fournir. Puis, plusieurs apportèrent des suggestions. Du fond de la salle, le petit Vilbon leva timidement la main et dit d'une voix grave qu'on aurait dit sortie d'un ponchon: «Moa, j'ai pour mon dire que si on la bâtissait avec des lisses, on pourrait faire une Godême de belle église! Des lisses, y en a en masse! Moa, j'ai toute une terre boisée dans les buttes qui pourrait fournir tout le bois. Vous autres, vous pourriez fournir les bras.» Pauvre Vilbon, il pensait que l'on bâtit une église comme on bâtit une étable. une église faite de lisses n'aurait pas duré longtemps et, quant à la bâtir, autant le faire solidement... Sa suggestion fut mal accueillie et n'alla pas plus loin qu'au fond de la salle.

L'assemblée, commencée à sept heures du soir, n'était pas encore terminée à onze heures. La foule entassée dans la petite maison d'école dégageait une odeur fort désagréable de bottes sauvages faites de peaux de loups-marins mal tannées que la chaleur suffocante de la salle finissait par dégeler. Cette odeur ajoutée à celle de la sueur humaine et à celle du tabac devenait intolérable aux narines sensibles. Tout de même, chacun demeura jusqu'à la fin. Après avoir recueilli les dires variés mais non efficaces de plusieurs d'entre eux, Louis Boudreau, le visage couvert de sueur, leva l'assemblée à minuit avec la promesse de se réunir à nouveau la semaine suivante. Durant plusieurs semaines qui suivirent, la plupart d'entre eux se rassemblèrent dans la même maison d'école où flottait toujours la même odeur.

On était maintenant à la mi-mars. Déjà, la glace était disparue du golfe et, depuis plus de trois jours, une épaisse brume persistait sur le golfe. Une brume tellement épaisse qu'on aurait pu la couper au couteau. Vers la fin de la journée, on entendit des racontars voulant qu'un gros brick chargé de planches et de madriers venait de faire côte à Havre-aux-Basques, et qu'il était enfoncé dans le sable pour n'en plus jamais sortir. Quand on le mit au courant, une vision de rêve effleura le cerveau de Louis Boudreau. «Tout ce bois que la Providence venait de jeter sur la côte pourrait bien servir à la construction de notre église», se dit-il. Sans perdre une minute, il monta son cheval à poil et se rendit jusqu'au lieu du naufrage. Comment pourrait-on sortir tout ce bois de là? La chose ne semblait pas facile même à marée haute. Il discuta assez longuement par la même occasion avec le capitaine du bateau qui lui dit finalement: «Voyez mes assureurs...»

Quelques jours plus tard, les représentants de la compagnie d'assurances vinrent aux Iles pour évaluer les dégâts. Ils discutèrent peu et cédèrent finalement le bois à Louis Boudreau pour presque rien, à la grande joie mêlée de surprise de ce dernier. Après s'être réunis maintes fois et avoir discuté vainement dans une atmosphère polluée, on avait maintenant la solution.

On charroya tout ce bois à cheval sur une butte de Lavernière où on avait choisi de bâtir la nouvelle église. De cet endroit, une vue magnifique des environs s'offrait en spectacle. On pouvait même y voir l'endroit où le malheureux brick était venu mourir. Les travaux débutèrent tôt au printemps et se poursuivirent l'été suivant pour enfin prendre forme à l'automne. On travailla avec acharnement tout l'hiver à la finition et à la décoration intérieure.

Puis, ce fut la grande fête: avec l'arrivée des chaleurs, elle était complétée. Les gens de l'Étang-du-Nord avaient enfin leur église; c'était un peu grâce à la ténacité de Louis Boudreau et ses supporteurs. Il fallait maintenant un prêtre; ce serait chose facile à trouver pour cette église sortie d'un naufrage...

Le vieux sorcier

etit mais costaud, portant une longue barbe blanche qui cachait une cicatrice à son cou, il avait un nez énorme, des yeux perçants et de belles dents blanches, chose rare chez un homme de cet âge. Il avait bien soixante ans. Il marchait avec une canne de bois d'acajou sur laquelle étaient gravés des figures géométriques et des signes cabalistiques indéchiffrables.

Débarqué par un beau vendredi soir du bateau qui l'avait emmené à Cap-aux-Meules, il portait, pour tout bagage, un gros sac de marin sur les épaules. Sans même saluer personne et sûr de lui, il se dirigea vers la Butte du Marconi pour se rendre finalement au Barachois où il trouva à se loger dans une famille.

Les gens du Barachois le trouvaient plutôt bizarre et nourrissaient à son sujet des propos les plus divers. Lui parlait peu évitant habilement de répondre aux questions compromettantes. Son fort accent français trahissait ses origines. À l'entendre raconter des histoires invraisemblables, trop souvent macabres, on devinait qu'il était bien instruit.

Il demeura un mois dans cette famille, puis il se loua une petite cabane de pêcheur située sur le cap de l'hôpital. Dans cette vieille cabane abandonnée, dont les murs laissaient passer la lumière du jour, il demeura tout l'hiver, sans apparemment souffrir du froid.

On disait de lui qu'il était guérisseur. Cette histoire avait commencé un jour qu'il marchait sur le chemin et qu'il rencontra un groupe d'enfants du Cap-Vert en route vers l'école. Parmi eux, il y en avait un dont le visage était couvert de grosses taches rouges — des dartres. L'étranger s'approcha de lui et il lui toucha légèrement le visage avec ses doigts, fit plusieurs fois le signe de la croix en marmottant des paroles incompréhensibles. Les taches rouges disparurent aussitôt, comme par enchantement, laissant sa peau lisse et rose. Les autres enfants témoins de la guérison en furent émerveillés. De retour à la maison, ils racontèrent, par bribes, ce qui s'était passé à leurs parents qui s'empressèrent de vérifier les faits.

La nouvelle étrange se répandit comme une traînée de poudre. On fit du vieil étranger un guérisseur de toutes les maladies; on l'appela désormais le vieux sorcier. La plupart du temps, il se limitait à guérir des cas bénins tels que des abcès, des furoncles et autres dermaties. Cependant, il se présenta un jour un cas plus grave. Jérémie à Todore, qui demeurait dans le chemin des Buttes, fut soudain victime d'un mal atroce dans le ventre qui le faisait horriblement souffrir. On craignait que ce ne soit cancéreux (ou un mauvais mal, comme disaient les vieux du temps). Les siens attelèrent le cheval à la traîne et allèrent chercher le vieux sorcier qui ne se fit pas prier pour venir. Arrivé auprès du malade, il manifesta le désir d'être seul avec Jérémie et le père. «Ce n'est pas si grave, dit-il à Jérémie pour le rassurer; c'est un mauvais esprit qui est entré en toi et je vais le faire sortir...» Selon le vieux sorcier, toutes les maladies étaient causées par des mauvais esprits qui entraient dans le corps. Son rôle était de les faire sortir. Pour y arriver, il prononça des mots, des incantations. Puis, il déposa un grand essuie-mains par terre. Enfin, debout à côté du malade, il étendit les mains au-dessus de l'abdomen et dit lentement: «Mora, Mora, mauvais esprit, si tu es dans la moelle, saute dans les os; si tu es dans les os, saute dans la peau; si tu es dans la peau, saute dans le poil; si tu es dans le poil, saute par terre.» Le malade étendu sur le lit fit un bond en avant comme poussé par un ressort puis, le visage contrefait de grimaces, il pencha la tête vers l'avant et vomit un liquide jaunâtre qui se répandit sur la serviette étendue par terre. Le vieux sorcier sauta à pieds joints sur ce vomissement, éclaboussant les murs de la chambre. Ce geste était pour écraser le mauvais esprit sorti du corps du garçon.

Jérémie se sentait déjà mieux: son visage se colora et ses forces semblaient vouloir revenir. Il était épargné pour cette fois-ci. Il se mit à marcher de long en large dans la chambre à coucher. Il remercia le vieux sorcier de l'avoir délivré de ce mal infect qu'il avait au ventre. Puis, le père offrit au vieux sorcier de le reconduire à sa cabane.

Un bon jour, sans faire d'adieux à personne, il prit le chemin du Cap-aux-Meules pour se rendre sur le quai. Là, il s'embarqua sur le bateau qui partait le même jour pour Halifax pour ne plus jamais revenir. On garda toujours un bon souvenir de ce bienfaisant et mystérieux sorcier.

Les puces

n était à la fin du mois d'août. L'été avait été très chaud cette année-là, rendant le travail plus ardu. Déjà, on avait coupé et mis en barge ou dans la grange le foin et l'avoine. Comme tous les ans, à la même saison, on en profitait pour vider nos vieilles paillasses et les remplir de paille fraîche pour une autre année. Après avoir couché pendant douze mois sur la même paillasse, il fallait la renouveler car elle était aplatie.

Ces paillasses présentaient un inconvénient: la paille attirait les puces. Et cette année-là, c'était une vraie épidémie; il y en avait des milliers qui s'acharnaient à piquer, laissant des taches rouges qui étaient très humiliantes, surtout pour les enfants qui fréquentaient l'école. Ces taches rouges apparaissaient en divers endroits du corps, bien à la vue de chacun, sur le cou, les bras, le visage. Même si ce n'était pas le cas, ceux qui étaient ainsi marqués étaient considérés comme malpropres et c'étaient toujours les gens les plus pauvres, ceux qui n'avaient pas les moyens de s'acheter des matelas. Ils étaient condamnés à servir de pâture à ces petites bestioles indésirables.

Un jour, le petit David se préparait à se coucher. Il se tenait debout, immobile, près de la porte du grenier, observant les puces qui lui sautaient sur les pieds. Soudain, il en vit une qui commençait à grossir, à se transformer, pour prendre une forme humaine de la taille d'un enfant de deux ans. Les yeux sortis des orbites, David tremblait de tous ses membres, ne comprenant rien à ce qui arrivait. Trop énervé et trop surpris pour pouvoir même bouger, il demeurait là, immobile, regardant fixement la puce qui avait pris la forme d'un petit lutin. Celui-ci le regarda et lui dit: «N'aie pas peur, mon petit; je ne te ferais pas de mal. toutes les puces que tu vois ici sont des lutins comme moi. Une sorcière nous a jeté un mauvais sort. Depuis qu'on est devenus des puces, on essaie par tous les moyens de se sortir de cette maudite carcasse. Moi, j'ai réussi, comme tu vois; mais les autres, je ne suis pas sûr qu'elles puissent redevenir lutins.» Revenu de sa surprise et intrigué, David lui demanda: «Avant que vous deveniez des puces, où étiez-vous?

—On vivait dans le petit bois qu'il y a en arrière d'ici, répondit le lutin, mais on était invisibles pour la plupart des gens et on ne sortait jamais le jour. La nuit, on sortait pour se désennuyer. On prenait alors des chevaux gardés dans des étables et on allait se promener à travers les champs. Ah! ne va pas croire qu'on les maganait; au contraire, on les soignait bien. On leur faisait toujours le poil bien lisse, et on leur tressait soigneusement les crins. Si tu savais comme on est malheureux depuis que cette méchante sorcière nous a changés en puces!

—Mais pourquoi vous acharnez-vous à nous piquer?

—On ne veut pas vous piquer, répondit le lutin; on saute comme ça pour tenter de sortir de nos carcasses de vilaines puces. Tiens, pour te prouver qu'on n'est pas méchants, demande-moi tout ce que tu veux et je te l'accorderai!» David était pris au dépourvu; il en avait trop à lui demander. Mais comme, au fond, il ne croyait pas tout à fait à ce que lui proposait le lutin, il lui dit: «Ce que je veux pour tout de suite, c'est que toutes les puces de la maison disparaissent.» Le lutin lança aussitôt un sifflement aigu, qui fit disparaître de même coup toutes les puces et lui-même. Alors David se coucha, heureux d'être débarrassé des puces mais rêvant à tout ce qu'il aurait pu obtenir s'il n'avait pas été pris au dépourvu...

Todore, l'homme à l'aéroplane

Quand enfin le courrier fut transporté régulièrement de la grand'terre aux Iles-de-la-Madeleine par avion, c'est avec anxiété qu'on voyait arriver l'oiseau mécanique qui apportait des nouvelles des êtres chers. Même par temps froids, le pilote était sûr d'une présence assidue pour l'accueillir sur la piste de glace de la baie de Grand-Ruisseau: c'était celle de Todore.

Pour indiquer l'endroit où devait atterrir l'avion, un grand morceau de toile noire, en forme de croix, était déposé sur la glace; il était facile pour le pilote de l'apercevoir du haut des airs. Au fur et à mesure que l'avion approchait, le pilote pouvait discerner, au pied de cette croix, un point noir qui grossissait pour devenir une forme humaine: c'était toujours Todore! Depuis plus de trente ans, beau temps, mauvais temps, il était fidèle au rendez-vous.

Père de plusieurs enfants, cet homme à l'allure fière faisait la pêche avec son frère. Comme pour tous les pêcheurs, l'hiver était pour lui la saison morte qui lui laissait beaucoup de temps libre soit pour pratiquer un sport favori, soit pour réparer les gréments de pêche. La principale occupation de Todore était celle de faire partie du comité de réception du courrier d'hiver, comité composé d'un seul homme, c'est-à-dire de lui, dont le rôle consistait à accueillir l'avion de la malle, sur la glace de la baie du Grand-Ruisseau.

Toujours souriant, avec de l'humour à revendre, c'était un personnage haut en couleur. Tous le connaissaient et chacun l'aimait pour sa personnalité attachante.

Le petit avion, qui faisait la navette entre la terre ferme et les Îles, comptait cinq sièges; il ne pouvait donc transporter que cinq passagers à la fois. Todore leur ouvrait la porte pour les faire descendre sur la glace. Il avait peu de distance à parcourir pour se rendre à la baie. Les jours que devait venir l'avion et que le temps était clair, il scrutait le ciel et, dès qu'il apercevait l'avion au loin, il courait vers l'endroit où il devait atterrir pour y être avant lui avec le morceau de toile noire.

Todore n'était pas payé pour faire ce genre de travail, mais il le faisait pour son plaisir. Il était passionné des avions — ce qui était nouveau dans son temps. S'il en avait eu seulement la chance, il aurait souhaité être pilote; l'idée de voler dans les airs, libre comme l'oiseau, le transportait de joie. C'était en quelque sorte un homme de l'air en plus d'être un homme de la mer.

Un jour qu'il faisait partie d'un équipage de bateau chassant le loup-marin et qu'il se trouvait en pleine mouvée, le capitaine du bateau meurt subitement. Qu'allait devenir cet équipage de vingt-six hommes en pleine mer, au large des côtes de la Nouvelle-Écosse, sans chef? Todore, voyant ce groupe d'hommes désemparés, prit la relève et, de peine et de misère, les conduisit sains et saufs au port de Halifax, avec en plus la cargaison de peaux de loups-marins; cet exploit lui valut, par la suite, un long article dans le «Halifax Chronicle».

Ce qui était à craindre se produisit: Todore tomba malade. C'était la première fois de sa vie qu'une fièvre aussi forte le retenait au lit. Ce matin-là, quand le pilote arriva au-dessus de l'endroit où il atterrissait habituellement, il ne vit pas la croix noire, non plus le point. Il eut le pressentiment qu'il devait être arrivé quelque chose à Todore, lui qui d'habitude était toujours présent à son arrivée. Il fit faire plusieurs tours à son appareil au-dessus de cet endroit pour se décider finalement à atterrir. En arrêtant les moteurs, le poids de l'avion se fit plus lourd et... crac! la glace défonça. L'avion s'enfonça dans l'eau de la baie jusqu'aux ailes. Peu s'en fallut pour que le pilote se noie! Peu de temps après, on réussit à le tirer de cette dangereuse position.

Enfin libéré et rassuré, le pilote demanda des nouvelles de Todore. On lui dit qu'il était malade et au lit. «Je m'en doutais et je savais que quelque chose allait m'arriver. Si Todore avait été là, rien d'ennuyeux ne se serait produit...»

Délirant de fièvre, Todore, lui, qui, de son lit, avait entendu le vrombissement du moteur de l'avion, fit de la main des gestes en guise de signaux à l'aviateur, comme s'il avait été sur la baie. Sa femme, Desneiges, apercevant son manège, le rassura en lui disant que l'avion avait atterri sans difficulté et que le pilote avait pris de ses nouvelles...

Les fraudeurs

ux Iles-de-la-Madeleine, on appelait fraudeurs ceux qui vendaient de la boisson en contrebande — car on était alors au temps de la prohibition.

Les petites goélettes partaient de Saint-Pierre et Miquelon avec un chargement de boisson, pour venir la vendre aux Iles. Ces gens-là étaient pour la plupart originaires de Terre-Neuve ou de la Nouvelle-Écosse. On les voyait resourdre à la brunante, dans leur goélette à deux mâts, toutes voiles déployées. À trois milles des côtes, ils jetaient l'ancre et attendaient que les pêcheurs des Iles viennent s'approvisionner avec leurs petits bateaux de pêche. On attendait différentes boissons, surtout le «petit rouge» qui était d'excellente qualité. Malheureusement, ces pêcheurs abusaient souvent de la situation, se soulant avant même de quitter la goélette. Combien de fois a-t-on vu de ces petits bateaux de pêche, chargés de boisson jusqu'au bord, chavirer en arrivant à la côte, noyant tous leurs hommes saouls...

Comme ces fraudeurs ne venaient qu'une ou deux fois durant l'été, les gens en profitaient pour prendre des brosses au «petit rouge» de Saint-Pierre et Miquelon, brosses qui duraient parfois des semaines. Aujourd'hui encore, les plus âgés parlent, non sans nostalgie, les yeux dans le vague, du bon vieux temps de la prohibition et de ce «petit rouge» qui les rendait si gais et si braves. La chose présentait toutefois des inconvénients: certains exagéraient et faisaient souffrir leur famille en dépensant toute la gâgne de l'année et en rentrant saouls tous les soirs. La Société des Alcools n'avait pas encore fait son apparition aux Iles; c'est pourquoi les gens se soulaient plus facilement dès que l'occasion de présentait. Pour faire contrepoids à tout ça, il y avait des groupes de gens qui venaient d'«en dehors» des Iles pour prêcher, avec raison, la tempérance.

Quand on voyait apparaître au large un de ces fameux petits deux mâts qui s'approchait tranquillement des côtes, les femmes se disaient: «Ah! les maudits fraudeurs qui sont encore dans nos parages! Il va falloir surveiller nos hommes.» Et les hommes, eux, souriaient secrètement dans leur barbe et, se frottant les mains, disaient: «On va t'en prendre une Godême de balloune ce soir...».

Dès que les goélettes approchaient suffisamment pour qu'on puisse monter à bord, on embarquait des canistres de «petit rouge» pour les transporter, à la brunante, sur les dunes. On les enfouissait dans le sable et on revenait les chercher plus tard. Peut-être pourrait-on, aujourd'hui encore, découvrir de ces boîtes de tôle oubliées dans leur cachette.

Entretemps, les prêtres, quand ils montaient en chaire, condamnaient les trafiquants de boisson, les envoyant tous en enfer brûler dans le feu éternel.

Un jour, le grand Octave fut accusé de vendre de la boisson en contrebande. La police le somma de se présenter en cour le lendemain. Le grand Octave fit donc venir chez lui trois de ses amis, leur demandant d'être ses témoins à la cour. En arrivant chez Octave, ses amis le virent couché dans un petit berceau, en train de se faire bercer par sa mère. Surpris, ils lui dirent: «Quoi c'est que tu fais là, dans le berceau? D'viens-tu fou?» Il se contenta de leur dire: «Attendez à demain, en cour, vous aurez votre réponse.»

Le lendemain, devant le public considérable réuni à la cour, le juge déclara: «Octave, tu es accusé d'avoir vendu de la boisson en contrebande. Qu'as-tu à dire pour ta défense?»

— Moi, rien, répondit-il; juste deux mots, monsieur le juge. Je peux jurer que je n'ai pas vendu de boisson depuis le temps où ma mère m'a bercé dans mon berceau.» Les témoins ne purent faire autrement que de jurer qu'il disait vrai. Octave fut donc acquitté.

Le pirate Blue Belly

a piraterie, c'état sa vie. Il avait commencé comme mousse à bord d'un bateau corsaire, au service du Roi d'Angleterre d'alors, George III. La vie à bord de ce bateau était monotone pour lui, si jeune et plein d'énergies, qui rêvait de grands projets pour l'avenir. Sa hantise était de suivre les ordres du capitaine corsaire dont l'attitude lui semblait injuste: il était trop dur pour ses hommes qui en retour n'osaient rouspéter et suivaient ses ordres — souvent irraisonnables — à la lettre. Très indépendant, ce jeune mousse, à l'esprit libéral, admettait que des ordres soient donnés d'en haut mais de là à subir une dictature et en devenir esclave, il y avait, selon lui, une marge.

Sans le savoir, il était un peu socialiste avant même que le mot ne soit inventé: il concevait l'idée de partage des biens. Avec ses frères de la piraterie — les membres de l'équipage — il partageait tout son butin et son avoir. Un beau jour, il en eut assez; il remit sa démission au capitaine corsaire. Alors pour lui commença la tournée des pubs de Londres — l'équivalent de nos tavernes. Il vivait essentiellement de rapines et ses victimes se classaient parmi les riches et les aristocrates. Le fruit de ses vols était la plupart du temps distribué aux pauvres et aux gens qui, comme lui, refusaient de travailler au service du Roi et de sa clique sans rien recevoir en retour.

Il réussit à organiser une bande, considérée par la haute classe d'alors comme étant composée de bons à rien, et il forma, même s'il n'avait pas encore de bateau à lui, un équipage considérable. Un jour, il rassembla sa bande de soi-disant forbans, pour discuter de nouveaux projets et, à la faveur de la nuit suivante, ils embarquèrent dans un gros brick où, seul, le capitaine dormait dans sa cabine. Ils se saisirent de lui, l'amarrèrent et le déposèrent doucement sur le quai, derrière des ponchons de mélasse. Puis, d'un coup de hache, ils coupèrent les amarres qui retenaient le vaisseau au quai. Une brume épaisse couvrant tout le sud de l'Angleterre et l'obscurité aidant, ils hissèrent les voiles et, malgré le temps calme de cette nuit-là, ils réussirent à laisser le port de Londres sans être vus.

Ils sortirent de la Tamise pour déboucher sur la Manche dans ce bateau nommé «Decibell». Déjà, en haut du grand mât, flottait le pavillon de la piraterie (un crâne avec deux os croisés). On appareilla vers le sud, vers les grandes lignes de navigation de navires espagnols qui transportaient pour la plupart l'or volé aux Incas. La traversée de l'Atlantique sud se fit sans incident majeur: toujours aucun bateau marchand en vue. Ils côtoyèrent ensuite la mer des Sargasses sans toutefois s'en approcher de trop près, cette mer mystérieuse qui a toujours été et continue d'être la terreur des marins. Rares étaient alors ceux qui osaient l'approcher: on parlait de feux-follets qui couraient à la surface de l'eau, de bateaux fantômes et même de belles sirènes qui, par leurs chants envoûtants, attiraient les marins dans ce piège mortel d'où ils ne sortaient jamais, ni vivant ni mort. Plusieurs vaisseaux marchands étaient disparus dans ces parages sans laisser aucune trace, alimentant de ce fait les imaginations trop sensibles.

Le pirate Blue Belly continua donc sa route vers la mer des Caraïbes: c'est là que son métier de pirate, qui dura presque deux ans, commença sérieusement. Au cours des nombreux combats auxquels il eut à faire face, il perdit plusieurs bons hommes, mais captura, par ailleurs, nombre de bateaux espagnols chargés d'or qu'il pillait pour ensuite tuer les membres de l'équipage et les passagers qui s'y trouvaient avant de couler le vaisseau. Il ne faisait aucun prisonnier, c'était trop encombrant.

Tout au long de l'hiver, il avait piraté des navires marchands, n'épargnant aucune nationalité. Son vaisseau était chargé d'or jusqu'au bord et de butin pris aux autres. Il avait essuyé plusieurs tempêtes au large du Cap Hatteras, sur les côtes américaines. Les dégâts étaient considérables: l'équipage comptait plusieurs blessés, la plupart l'étant à la suite de coups d'épées reçus au combat. Le pavillon qui flottait au haut du mât était à moitié déchiré.

Impossible d'accoster le long des côtes américaines dans une baie ou une anse: tout était sévèrement surveillé. Les Américains venaient tout juste d'obtenir leur indépendance (1778); le temps de la piraterie était donc révolu. Le pirate Blue Belly, par dépit, continua sa route vers le nord. Il essaya bien d'accoster dans une petite anse de la Nouvelle-Écosse mais il fut aussitôt repoussé par les gardes-côtes anglais qui tirèrent plusieurs coup de canon dans sa direction sans toutefois réussir à l'atteindre. Désespéré, il poursuivit sa route toujours vers le nord. Là, il espérait trouver un endroit isolé. Mais, à son grand désarroi, partout où il allait, on le chassait. Il contourna l'île du Cap-Breton, passa devant l'île Saint-Paul puis entra dans le Golfe Saint-Laurent. Il aperçut au loin une belle île toute boisée, avec de hautes falaises: c'était l'île Brion.

Il en fit le tour mais réalisa vite qu'il n'y avait aucun endroit où accoster. Les rochers avoisinants, les forts courants et les hauts fonds: autant de dangers à éviter. Au loin, il devinait le reste des Iles-de-la-Madeleine. C'est vers la Grosse-Ile qu'il se dirigea; là il semblait y avoir une petite baie où il pourrait se mettre à l'abri quelques semaines. Il en profiterait pour faire provision d'eau fraîche, pour soigner les blessés et réparer le bateau. Mais un peu plus tard, le Decibell frappait les rochers de la Pointe-de-l'Est et, en quelques minutes, il coula pour aller reposer à plusieurs brasses de profondeur, entraînant tout l'équipage. Seul le capitaine Blue Belly réussit à s'agripper à un ponchon qui le ramena à terre.

C'est au beau milieu de la nuit et à moitié enfoui dans le sable de la dune de l'est qu'il reprit connaissance. Il respirait difficilement à cause des côtes brisées lors du naufrage. Il se releva avec peine, mais réalisant qu'il était le seul survivant du naufrage, le découragement s'empara de lui: il tomba à la renverse et trépassa.

Le lendemain matin, deux Madelinots, rôdeurs de dune, qui passaient par là, découvrirent son corps. Ils fouillèrent ses poches et découvrirent une petite plaque de bronze sur laquelle étaient écrits ces mots: «S.S. Decibell, Captain James Blue Belly, London, England».

Ils creusèrent un grand trou et ils l'enterrèrent debout, le visage tourné vers le large en hommage à sa carrière de capitaine. C'est là que finit la carrière du pirate Blue Belly.

Les deux innocents

ierre était un garçon de douze ans au regard vif et intelligent. C'était devenu une habitude chez lui de se rendre, le soir après souper, sur le bord de la mer, dans l'Anse chez Louis. Là, il s'amusait à lancer des cailloux dans l'eau ou à construire des châteaux de sable qu'il détruisait aussitôt. Ah! qu'il faisait bon regarder le soleil s'estomper dans la mer et que le sable ondulé par la vague invitait au rêve. Parfois, Pierre se laissait emporter par des rêveries fantastiques: il s'imaginait déjà capitaine de bateau et parcourant le vaste monde...

Un soir, alors qu'il était assis sur le sable encore chaud et qu'il regardait vers le large, il surprit un objet au loin, à la surface de l'eau, qui disparaissait et réapparaissait avec la vague pour enfin arriver à quelques pieds de lui. Quelle ne fut pas sa surprise en apercevant un jeune loup-marin gris approcher de lui sans crainte. C'était la première fois que le jeune Pierre voyait un loup-marin vivant d'aussi près. Il eut bien un moment d'appréhension, mais l'attitude du petit loup-marin le rassura aussitôt. Ce jeune animal, loin d'être féroce, semblait aussi doux qu'un petit chien. Il tourna autour du garçon, laissant ses empreintes aux formes géométriques dans le sable mou. Pierre était heureux à l'idée que l'intrus surgi des profondeurs de la mer allait peut-être devenir un ami pour lui. Il se mit à jouer avec lui; il lançait des morceaux de bois dans l'eau que le loup-marin allait aussitôt chercher et lui rapportait dans sa gueule. Quel nom lui donnerait-il? Aucun ne lui venait à l'idée. Il opta enfin pour «Grisé», à cause de la couleur de sa peau.

Pierre se garda bien d'en parler à persone, surtout aux adultes, craignant qu'ils ne viennent tuer la bête pour sa peau. Et chaque soir après le repas, il reprenait le chemin de la plage, et, toujours, Grisé était au rendez-vous. Leur amitié semblait maintenant soudée. Ils témoignaient l'un pour l'autre beaucoup d'affection. Très éveillé, Grisé semblait comprendre les propos de son ami.

Un soir, comme d'habitude, le garçonnet descendit sur la plage pour y rejoindre son ami. Mais cette fois, à son grand étonnement, Grisé n'y était pas. Il arpenta la dune sans succès huchant par intervalles: «Grisé! Grisé!« Toujours rien. Était-il mort ou vivant? Pierre se laissa tomber sur le sable frais et pleura amèrement la perte de son meilleur ami.

Des mois, des années passèrent sans que Pierre ne revit Grisé. Il avait vieilli durant ces années. Le temps lui avait fait presque oublier Grisé. Cette année-là, il rejoignit une escouade dirigée par son oncle, et partit chasser le loup-marin sur les glaces. C'était la première fois qu'il faisait ce genre de chasse. Rendu au milieu de la mouvée, il ne put se décider à tuer une seule bête. Il erra sur les glaces. Puis, passant devant un trou d'eau claire, il aperçut soudain un gros loup-marin qui surgissait de l'eau en faisant des cabrioles. Le gros animal sauta sur la glace et, debout sur sa queue, lança des cris aigus. Pierre recula d'abord de frayeur, puis, dans ce gros loup-marin qui s'avançait vers lui sans méchanceté; il reconnut son vieil ami Grisé qui, lui, l'avait reconnu le premier et ne cessait de tourner autour de Pierre comme au temps de leurs rendez-vous. Mais Pierre voyant son oncle accourir avec son bâton levé pour tuer la bête, poussa avec violence Grisé dans le trou d'eau où il disparut pour ne plus jamais réapparaître.

Pierre venait de lui sauver la vie. Cette expérience d'une chasse aux loups-marins n'eut pas de suite pour Pierre: jamais plus il n'y retourna.

La tache d'encre

ierre avait douze ans. Quoique très intelligent, il ne présentait aucun intérêt pour l'école; ce qui explique pourquoi il était toujours le dernier de sa classe. Au fond, ce n'était pas parce qu'il n'étudiait pas; au contraire, il avait toujours le nez dans un livre. Son problème en était un de mémorisation: il ne retenait jamais ce qu'il lisait. Quelque chose semblait faire obstacle à sa mémoire quand il lisait.

Ce soir-là, la maîtresse lui avait donné un devoir de composition à faire à la maison et, comme d'habitude, à la lueur de la lampe à parafine pendue à la cloison, il était assis à la table de la cuisine. Seul, sa mère étant déjà couchée au grenier, il était penché sur son cahier et écrivait péniblement. Puis, d'un geste machinal, il plongeait de temps en temps sa plume dans l'encrier pour ensuite la faire courir sur son papier blanc. De longs moments, il s'arrêtait, il hésitait. Les phrases se formaient difficilement dans son esprit. Soudain, alors qu'il retirait sa plume de l'encrier, il fit par mégarde un faux geste: une grosse goutte d'encre tomba sur la feuille blanche de son cahier, éclaboussant à gauche et à droite pour prendre diverses formes d'animaux et d'êtres humains. Surpris, il cessa d'écrire et déposa délicatement sa plume sur la table. Dans un mouvement de lassitude, il appuya les coudes sur les genoux et les deux poings sous le menton, il fixa intensément la tache d'encre. Aussitôt, des formes nées de la tache se mirent à bouger devant les yeux de Pierre, fasciné par ce qu'il voyait. Graduellement, ces formes se relevèrent et se mirent à évoluer sur la feuille blanche. Alors, Pierre comprit que tous ces personnages qu'il avait sous les yeux devaient faire partie de la composition commencée.

Déterminé, il reprit sa plume et poursuivit sans plus d'hésitations son travail de composition rendu facile à cause de ces personnages sortis de la tache d'encre. Il était tellement absorbé à regarder évoluer sur la feuille ces êtres réels et à structurer son travail qu'il n'entendit même pas sa mère qui lui huchait de monter se coucher parce qu'il était déjà tard. Sa composition terminée, la tache d'encre et la gamme variée des formes qu'elle avait produites disparurent comme par enchantement.

Le lendemain, quand il présenta son devoir à la maîtresse d'école, elle fut surprise par le côté imaginaire et varié de sa composition pour laquelle elle le félicita. Elle s'empressa toutefois de lui demander s'il avait fait son travail seul, sans l'aide de qui que ce soit; ce à quoi il répondit positivement de la tête, se gardant bien de lui raconter son aventure de la tache d'encre ...Comment l'aurait-elle cru?

Le cordonnier volant

oujours mal chaussé, pour ne pas faire le proverbe, Édouard le cordonnier marchait courbé comme un bossu. À être toujours penché sur sa machine pour travailler, son épine dorsale s'était crochie prenant presque l'allure de la forme à chaussures dont il se servait pour réparer les chaussures. Il avait les doigts noueux mais agiles et couverts de taches brunes causées par le brai qu'il utilisait pour rendre le fil plus résistant. Son visage ridé par les ans laissait deviner un âge avancé. Réfléchissant beaucoup, il écoutait plus qu'il ne parlait. Notre cordonnier réparait souliers ou bottes mais se spécialisait dans la confection de bottes sauvages en peaux de loups-marins qu'il tenait lui-même dans un hangar attenant à sa cabane.

Certains disaient de lui qu'il était très riche, contrairement à ce que les apparences laissaient croire. Il faut dire que dans ce temps-là la richesse se calculait à quelques milliers de piastres. Portant toujours les mêmes hardes, il avait une vie des plus sobres. Une ancienne étable, située au bord de la dune du nord, à Cap-Vert, lui servait d'abri. Les gens allaient le voir pour faire réparer leurs vieilles chaussures ou pour se faire confectionner des bottes sauvages très en vogue à l'époque.

Ce vieux célibataire endurci ne se plaignait jamais. On ne lui connaissait pas plus d'amis que d'ennemis. Il sortait rarement, sauf pour aller au magasin général, à Cap-aux-Meules, pour s'approvisionner. La solitude dans laquelle il vivait semblait correspondre à sa nature; il se sentait libre comme un goéland.

De sa cabane, Édouard le cordonnier avait une vue magnifique de la dune qui s'étendait à perte de vue. L'odeur du goémon était à ses narines un parfum précieux, et le chant des oiseaux de mer, une musique divine. Au printemps, à la fonte des glaces, combien de fois des loups-marins attardés ne sont-ils pas venus rôder autour de sa cabane?

C'était le printemps. Cet après-midi-là, il était allé à Cap-aux-Meules pour s'acheter de quoi manger. Sur le chemin du retour, le soleil était déjà couché. Le temps était très calme; soudain, la pluie se mit à tomber à la verticale, ce qui ne tarda pas à tremper notre cordonnier jusqu'aux os. Il n'avait malheureusement pas prévu cet orage et, un peu agacé, il accéléra le pas. Tout à coup, il s'immobilisa: au beau milieu du chemin s'était formée une mare d'eau telle qu'il hésitait à la franchir à cause de ses bottes sauvages usées et qui prenaient l'eau. Comment faire pour ne pas se mouiller les pieds? Esquissant un geste comme pour contourner la marre, il se sentit soudain léger comme une plume: il ne pesait plus rien. Alors, d'une simple poussée du pied droit, il plana au-dessus de la mare d'eau pour ensuite atterrir de l'autre côté. Que lui arrivait-il? Il l'ignorait, encore trop surpris de cet exploit qu'il venait de vivre pour la première fois. Il était alors seul sur le chemin; personne n'avait donc été témoin de cette aventure. Il poursuivit sa route, songeur, pensant à ce qui venait de lui arriver, pour en venir finalement à la conclusion qu'il possédait un merveilleux pouvoir, celui de la lévitation. Il lui fallait rester calme et surtout ne pas abuser de ce pouvoir dont il ignorait s'il n'était que passager ou habituel.

Le lendemain soir, à la brunante, seul avec ses pensées, il se rendit sur la dune du nord, là où le terrain est vaste et plat. Il s'exerça à voler d'abord sur une courte distance. Pour y arriver, il n'avait qu'à se concentrer pour quelques minutes sur chacun des gestes qu'il allait faire et, du bout de son pied droit, il se donnait une poussée. Aussitôt, il s'élevait lentement, à quelques centaines de pieds, pour ensuite voler à l'horizontale sur plusieurs milles, à la vitesse d'un cheval au grand galop.

Depuis plusieurs semaines déjà, Édouard le cordonnier pratiquait ce vol plané, se rendait parfois même jusqu'à la Grosse-Ile, en survolant la Pointe-aux-Loups sans s'y arrêter. Il se surprenait à rêver du jour où il oserait survoler la mer pour se rendre à l'île Brion, la mystérieuse, mais il craignait la longue distance à parcourir au-dessus de la mer. Cependant, un soir de temps brumeux et de vent d'est favorisant le retour, il se rendit jusqu'à la Grosse-Ile. Il s'arrêta ensuite un moment sur la faîte du Cap de l'Est et là, après mûre réflexion, il se donna une poussée du pied droit et s'envola vers l'île Brion. Il survola la mer sans ennui. À la moitié du chemin, le vent vira de bord et la brume se dissipa pour faire apparaître l'île Brion dans toute sa splendeur. Il eut soudain très peur: un moment il pensa défaillir et tomber à la mer, car c'était la première fois qu'il volait au clair de lune; mais non, il poursuivit sa route sans incident.

Il plana au-dessus de l'île, de long en large sans toutefois y atterrir par crainte de ne pouvoir repartir. Sur le chemin du retour, il y avait un homme de la Grosse-Ile qui s'en revenait de l'étable. Regardant vers le large, il aperçut, dans un rayon de lune, le cordonnier qui revenait de l'île Brion. Il crut que c'était le diable. Effrayé, il s'empressa de rentrer chez lui et, par peur du ridicule, ne parla jamais de cette vision à personne. Le cordonnier atterrit sur la dune, un peu en dehors du Cap de l'Est et, après s'être reposé un peu, reprit son vol jusqu'à chez lui. Par la suite, il cessa ces vols nocturnes, tout en continuant de garder secret son pouvoir de lévitation.

Quelques années plus tard, Édouard le cordonnier mourut. Quand on le transporta en terre, on s'étonna de voir à quel point le cercueil était léger: le cordonnier avait même dans la mort vaincu la loi de la pesanteur. Si un jour, à la brunante, vous voyez passer au-dessus de vos têtes un objet à la forme d'un cercueil, n'ayez pas peur et dites-vous que c'est probablement celui du cordonnier volant.

Les nymphes du bois à Phil

inq heures venaient de sonner. Mon père m'avait envoyé dans le bois à Phil pour y chercher du bois de chauffage; il s'agissait d'aulnes sèches qu'aux Iles on appelait vernes. Chaque jour, je cassais des vernes en petits morceaux, les mettais dans un sac et les rapportais à la maison pour entretenir le feu du poêle pour la cuisson. On était à la fin de juillet, durant les canicules. Il faisait un temps superbe: même pas une brise légère pour alléger la chaleur suffocante et humide qui régnait.

Ce jour-là, rendu au bois, je m'assis au milieu d'une touffe d'aulnes sèches et me mets à rêver. D'un geste monotone, je cassais des vernes et les mettais dans le sac. Je rêvais de voyage autour du monde, de croisières dans les îles exotiques du Pacifique. J'avais alors quatorze ans, et à cet âge tous les rêves sont permis. Je me voyais déjà à la tête d'une expédition, remontant l'Amazone à la recherche des trésors des Incas. Mais brusquement je sortis de mes rêves en entendant la voix de mon père me hucher qu'il avait besoin du bois pour faire cuire le souper. Je ne me décourageai pas pour autant: je pouvais toujours continuer mon rêve un prochaine fois. J'éprouvais une certaine satisfaction à l'idée que je demeurais maître de mes rêves et que personne au monde ne pouvait m'enlever ce droit. C'était un peu mon monde à moi, un monde fantastique dans lequel je me plaisais beaucoup. Encore sous la tutelle d'un père un peu trop sévère — c'était chose courante à l'époque — qui était parfois agacé de mes rêveries, j'avais besoin de ces moments de liberté en esprit qui me faisaient grand bien. J'explorai à plusieurs reprises la lune bien avant les astronautes; mais jamais je n'aurais fait part de mes rêveries à mon père, convaincu à l'avance qu'il ne m'aurait pas compris.

C'était, finalement, la seule chose dont j'étais vraiment propriétaire: mes rêves! J'étais donc libre de penser, de m'évader, avec cette impression parfois d'être ailé.

Ce soir-là, j'était donc perdu dans mes rêves quand j'entendis une voix puissante venant de très loin; c'était celle de mon père qui huchait: «Azaaade!» Je sursautai et mis brusquement fin à mes rêves enchanteurs. En hâte, je remplis mes sacs de bois sec, me levai précipitamment et me dirigeai vers la maison. Arrivé à l'orée du bois, je me retournai pour voir une fois encore le pré à Vilbon. Je fus intrigué de voir une brume semi-opaque qui s'élevait à trois pieds au-dessus du marécage. Ce n'était pas ce genre de brume épaisse et fixe, mais plutôt une brume clairsemée prenant l'allure des marionnettes que l'on voit parfois dans le ciel. Je m'arrêtai pour regarder ces langues brumeuses qui prenaient maintenant des formes humaines et s'approchaient de moi. Plus surpris que craintif, je déposai mes deux sacs par terre et m'assis dessus. J'étais tout excité. Était-ce les belles filles de mes rêves qui se matérialisaient? Je les fixai intensément, souhaitant qu'une d'elles me parle.

Par intervalles, mon père huchait toujours mais moi, trop absorbé par ce que je voyais, je ne l'entendais plus. Ces gracieuses formes féminines approchaient toujours. Malgré la brume qui l'enveloppait, le pré à Vilbon me paraissait maintenant ensoleillé et enjolivé de fleurs aux mille couleurs. Rendues à quelques pas de moi, leurs visages se découpèrent, plus beaux et plus gracieux que je n'aurais pu les imaginer. J'étais épouvanté et heureux à la fois, assis là sur mes sacs de bois, fasciné à la vue de si belles créatures et, comme hypnotisé, je restai là à l'orée du bois sans bouger.

Soudain, l'une d'elles se détacha du groupe pour s'approcher de moi. Son sourire laissa voir de belles dents blanches. La voix de mon père s'estompait au loin pour faire place à celle plus douce de cet être mystérieux. «Que fais-tu là, petit gars», dit-elle dans un français impeccable (et dire que je me croyais un homme!).

— Moi, dis-je, rien! J'vous r'gardais. Vous êtes si belles! Que cé que vous êtes au juste?

— Nous sommes les nymphes du bois à Phil.

— Mais, repris-je, c'est quoi ça des nymphes?

Peut-être voulais-je trop en savoir: elle ne répondit rien puis disparut avec ses compagnes.

Ma joie se transforma en une profonde tristesse: déçu que j'étais de les voir partir si vite. De nouveau, la voix de mon père mit un terme à ma rêverie. Je l'entendis qui huchait toujours: «Azaaade!» La tête basse, je pris le chemin du retour. Arrivé à la maison, mon père me demande: «Quoi cé que tu faisais assis sur tes deux sacs, au bord du bois? Et quoi cé que tu r'gardais vers le pré à Vilbon?» Je restai muet. Pour rien au monde, je ne voulais qu'il intervienne dans mes rêves. Ces nymphes du bois à Phil, je voulais être le seul à me les rappeler.

Le montre de la Pointe-aux-Loups

epuis une semaine, on pouvait voir des pistes étranges sur le sable de la dune du nord. Elles étaient apparues à la suite d'une tempête de sable qui avait duré deux jours. Il faut dire que l'île de la Pointe-aux-Loups est située en plein milieu de la dune, avec la mer des deux côtés. Le sable s'était accumulé à certains endroits pour former des buttereaux.

Ces pistes sortaient de la mer et se rendaient jusqu'aux maisons, pour ensuite retourner à la mer. Elles étaient énormes, mesurant pas moins de treize pouces de long sur six pouces de large.

Tous les gens de l'île étaient terrifiés et intrigués à la fois. Les pistes découvertes avaient la forme d'un énorme main humaine, composée de six doigts et dépourvue de pouce. les plus impressionnables disaient que c'était le diable qui venait visiter les gens de la Pointe-aux-Loups. Mais pourquoi eux? Ils n'étaient pourtant pas plus méchants que ceux d'ailleurs.

Le soir venu, les femmes gardaient leurs enfants à la maison et barricadaient les portes. Les hommes, eux, faisaient le guet, armés jusqu'aux dents et tremblants de peur. Par beau temps comme par mauvais temps, ils passaient la soirée à la maison sans sortir. Or, c'était les soirs de mauvais temps que les pistes apparaissaient sur la dune; c'est pourquoi ils manquaient toujours le monstre.

Un soir de tempête, alors que Nathaël était à la maison, sa femme Marie crut entendre du bruit à l'extérieur et lui dit: «Nathaël, j'ai entendu du train autour de la maison. J'suis sûre que c'est le monstre.

— Non, non, qu'il lui dit, c'est pas le monstre, c'est peut-être ben un chien qui rôde.»

Mais Marie insistait: «J'te dis que c'est le monstre. Va voir!

— D'accord, dit-il si ça peut te rassurer, j'vas y aller.»

Nathaël prit donc son fusil, sortit, fit le tour de la maison.. et v'là qu'il aperçut des pistes fraîches venant de la mer et se rendant jusqu'à la fenêtre de la maison. Alors, dans l'obscurité, à la pluie battante, tenant dans une main son fusil et dans l'autre sa lampe de poche, il suivit les pistes du monstre qui allaient vers la mer, en contournant les buttereaux formés après la tempête. Un moment, il crut apercevoir une ombre dans l'obscurité; mais il ne vit rien de précis.

De retour à la maison, pour rassurer sa femme, il lui déclara qu'il n'avait rien vu. Gardant son fusil à son chevet, au cas où le monstre reviendrait, il se coucha enfin — mais sans fermer l'oeil de la nuit. Mais le monstre ne se manifesta plus.

Le lendemain matin, la femme de Cléophas, leur voisin, arrive toute essouflée à la maison, blême comme une morte, et leur dit: «Mon Cléophas est disparu. Il n'est pas rentré pour coucher hier soir, ça lui est jamais arrivé en vingt ans de mariage. Je commence à être pas mal inquiète. Je m'demande si...

— Si quoi? Si quoi? insiste Nathaël.

— Ben... si tout d'un coup, ajoute-t-elle craintivement, il avait rencontré le monstre, et que le monstre l'ait mangé...» Et Nathaël, plaisantant pour cacher son trouble, lui dit avec un sourire: «Ça serait dommage pour le monstre, parce que je suis sûr qu'il serait mort d'une indigestion. Cléophas doit être pas mal dur à digérer!

— Arrête donc de faire des folies, c'est sérieux c't'affaire-là! reprit-elle. C'est vrai qu'il prend un coup de temps en temps, mais pas assez pour s'écarter.»

Nathaël s'empresse de la rassurer: «Tu sais bien, Rita, que j'disais ça pour rire. On sait même pas si c'est un monstre; personne ne l'a jamais vu.» Aussitôt, Nathaël se prépare à sortir. Il va chercher tous les voisins pour leur annoncer la disparition de Cléophas, puis on se met à sa recherche.

On fouilla partout, jusqu'à la Grande-Entrée en passant par la Grosse-Ile: dans les sous-bois, autour des buttereaux et même dans les fentes des rochers. On explora aussi la dune de long en large, là où on pouvait voir les pistes du monstre. Toujours pas de Cléophas! La trosième journée, Nathaël eut une idée. Il y avait une vieille épave sur la côte, tout près de l'Ile; et Cléophas, quand il prenait un coup, aimait s'y réfugier pour contempler la mer. Nathaël s'y rendit. Comme il s'y attendait, en contournant l'épave, il aperçut Cléophas en train de se chauffer au soleil et de prendre un coup, avec deux cruches de vin à ses côtés.

«Ah ben! te v'là, toi! Quoi c'est que tu fais là? Ça fait trois jours qu'on te cherche! Rita pensait que le monstre t'avait mangé!» Cléophas se leva péniblement. Il pouvait à peine se tenir debout. Il réussit enfin à marmonner: «Le monstre? Quel monstre? J'ai pas vu de monstre. Mais la nuit passée, il y a un gros loup-marin qui est venu ici et qui rôdait alentour de moi en me r'gardant et en

pleurant comme s'il avait voulu dire quelque
chose. Il m'a réveillé et s'en est retourné à la mer.»
Et Nathaël de soupirer: «Ah! ça parle au Godême!
C'était donc ça!... Un vieux loup-marin!»

Le vieux lit

e suis très vieux. Plus de deux fois centenaire, je demeure néanmoins très solide, parce que bâti de fer recouvert de bronze.

Mon existence n'est pas sans aventures. Mon premier maître fut un capitaine de bateau qui faisait la navette entre l'Europe et l'Asie. Combien de fois, sur ce bateau marchand ai-je vu mon maître au milieu d'une tempête s'asseoir sur moi, la tête enfouie dans ses mains, pleurant à chaudes larmes à l'idée qu'il allait perdre son navire et probablement la vie. Vous comprenez alors mon désarroi: je ne voulais pas non plus aller choir à cinquante brasses sous l'eau pour y mourir de mort lente, rongé par la rouille.

Un soir d'automne, au cours d'une violente tempête, ce fut la catastrophe: le navire de mon maître se fracassa sur les rochers de la Pointe de l'Est, où il coulait à pic quelques minutes plus tard. Peu de temps avant de couler, comme par miracle, une grosse vague emporta le plancher de la cabine sur lequel mes pattes étaient vissées pour le rejeter sur le sable mou de la dune de la Pointe de l'Est. Je demeurai là plusieurs jours, à moitié enfoui dans le sable, jusqu'au moment où un jeune couple — rôdeurs de dune — qui passait par là à la recherche d'épaves, m'aperçut. Je fus dégagé de cette inconfortable position, monté dans leur charrette qui était tirée par un cheval et conduit jusqu'à la maison de ce jeune couple nouvellement marié.

Je fus par la suite témoin de bien des nuits d'extase, parfois de chicane, de jalousie aussi. Puis un bébé naissait, apportant avec lui la joie dans ce ménage. Il y en eut quatorze autres par la suite, du même couple, qui devinrent adolescents, puis adultes. À ce jeune couple, qui m'avait si charitablement sauvé de l'enlisement, il ne restait plus qu'à mourir.

Puis vint l'époque moderne avec ses exigences. On me remplaça par un lit plus nouveau, plus jeune. Pur se débarrasser de moi, on me démembra pour me jeter ensuite sur un tas de ferraille où je demeurai très longtemps avec la crainte continuelle d'être grugé par la rouille ou encore de finir dans une fonderie comme bien d'autres vieilles pièces de bronze.

Un jour où je me sentais plus déprimé qu'à l'ordinaire, je vois venir vers moi deux jeunes personnes. Elles posèrent leur regard sur moi langoureusement, comme fascinées. Ce fut, sembla-t-il le coup de foudre: le jeune couple tomba amoureux de moi... et moi de lui. On m'empoigna par mes barreaux, me transporta jusqu'au quai où on me déposa dans la cale d'un bateau en partance pour la grande ville.

La traversée fut longue mais combien douce à l'idée qu'au bout du voyage ce couple charmant m'attendait. Arrivé au port, on me transporta dans une magnifique maison où je fus nettoyé, poli jusqu'à devenir brillant comme un soleil de juillet. Je me sentais rajeuni de cent ans... Mes nouveaux maîtres m'habillèrent d'une belle paillasse puis m'enveloppèrent dans de beaux draps fleuris.

Depuis, pendant le jour, je me repose, attendant impatiemment que vienne la nuit pour entendre ces amoureux se conter fleurette... Et l'histoire se répète, depuis ce jour lointain où on m'a trouvé presque enseveli dans le sable de la dune de la Pointe de l'Est.

GLOSSAIRE

Apiloter	mettre au pilot, en tas, en groupe.
Asteur	abréviation de "à cette heure", dans le moment, maintenant.
Balloune	prendre une balloune, prendre une cuite.
Barge	meule de foin de forme rectangulaire.
Boucanerie	établissement où l'on fume de la viande ou du poisson.
Brick	de l'anglais brig: navire de petit tonnage à deux mâts gréés à voiles carrées.
Brunante	déclin du jour, crépuscule.
Buttereau	butte, petite élevation de terre.
Canistre	de l'anglais canister, bidon. Par ex.: une canistre de sirop d'érable.
Canotte	pour canot: petit bateau, embarcation légère mue à l'aviron.
Capot	terme québécois pour dire paletot.
Debarrit	amoncellement de glace qui se forme autour des Iles.
Escouade	ici, partie d'un groupe d'hommes sous les ordres d'un chef.
Fale ou falle	avoir la fale basse: être affamé, sentir le besoin de manger.

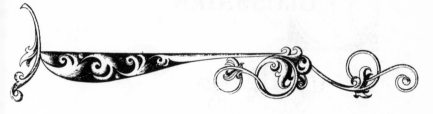

Fatras	amas confus de choses. Par ex.: ne fait pas tant d'histoires.
Fortillant	pour frétillant, qui se remue par des mouvements vifs et courts.
Gabare	sorte de bâtiment de pêcheur.
Gaboter	flâner, aller sans but apparent d'un côté à l'autre.
Godam' Godême	juron anglais: God damned, signifiant maudit.
Godêche	juron anglais: God ash.
Gémon	varech ou herbe marine.
Grément	ensemble de cordage ou manoeuvres nécessaires pour gréer un bâtiment.
Hucher	appeler en criant et en sifflant.
Kri (pour quérir)	pour quérir, chercher avec mission de ramener.
Lisse	utilisé aux Iles pour des tiges de bois très longues et étroites comme des perches.
Loup Marin	fréquemment utilisé aux Iles pour désigner le phoque.
Maganer	malmener, maltraiter.
Marée	sens de: une fois il était une marée.

Matcher	appareiller; terme québécois: faire se connaître et se rencontrer un jeune homme et une jeune fille.
Menoires	chacune des deux pièces de bois fixées à l'avant d'une voiture et entre lesquelles on attelle le cheval.
Mouvée	banc de poisson: mouvée de harengs, de sardines.
Noroît	vent du nord-ouest.
Tabagane	traîneau sans patins fait de planches minces recourbées par le devant, dit aussi traîne sauvage. Aux Iles, dit pour toboggan, traîneau constitué de deux groupes de patins sur lesquels repose une planche et qu'on dirige avec les pieds ou à l'aide d'un volant.
Tétine de coque	on appelle aux Iles tétines de coques le pied des bivalves sans tête en forme de hache dont la coque se sert comme d'une bêche et parfois comme d'une perche, pour sauter. Ce pied est recouvert d'une membrane presque noire que l'on enlève habituellement avant de manger la coque.
Tourteau doux	sorte de gâteau sucré.

Train d'étable   entretien de la grange où sont les animaux.

Tranche   pour bêche.

TABLE DES MATIÈRES

Achevé d'imprimer à Montmagny
sur les presses des ateliers Marquis Ltée
en mai mil neuf cent soixante-dix-neuf